2.— 3/5

»Mein Tag verläuft im Rhythmus der Luftangriffe. Das zerrt an den Nerven. Im Moment wird wieder der Stadtrand bombardiert. Die Lage wechselt ständig. Ich kann mich kaum auf die Arbeit konzentrieren, bin durch das Dauerbombardement immer stärker eingeschränkt. Auf dem Journalistenzentrum steht ein Flugabwehrgeschütz, das sicher irgendwann auch Ziel der Luftangriffe werden wird. Wenn es in der Nähe kracht, rennen wir in einen Durchgang von einem nahen Neubauwohnblock, der relativ stabil zu sein scheint. Ich fühle mich wie ein Hase.« (Aus dem Online-Tagebuch, Bagdad, 28. 3. 2003)
Stephan Kloss hat den Krieg in Bagdad hautnah miterlebt und war dadurch einer der wenigen Reporter, der wirklich sagen konnte, was in der Stadt vor sich geht. Sein täglich telefonisch übermitteltes Online-Tagebuch hat er nun durch Hintergrundinformationen zum Krieg und zu seiner Arbeit ergänzt und gibt so ein höchst authentisches Bild der Geschehnisse in der irakischen Hauptstadt.

Stephan Kloss ging schon mit 22 Jahren als Kriegsreporter nach Kroatien und erlebte bei seinem ersten Einsatz, wie ein Kamerakollege durch einen Granatenbeschuss ums Leben kam. Trotzdem berichtete er in den nächsten Jahren aus weiteren Kriesenregionen: Er war auf dem Balkan, im Kongo, in Tschetschenien, in der Kaschmir-Region, in der West-Sahara, dem Irak, in Indien, Pakistan und Afghanistan. Eine Woche vor Ausbruch des Irak-Kriegs fuhr er nach Bagdad und berichtete von dort aus täglich live für die ARD.
Stephan Kloss, 33 Jahre alt, stammt aus Torgau und lebt mit seiner Freundin und zwei Kindern in Leipzig.

Stephan Kloss

Mein Bagdad-Tagebuch

Als Kriegsreporter
im Brennpunkt Irak

Fotos von Markus Matzel

Fischer Taschenbuch Verlag

Originalausgabe
Veröffentlicht im Fischer Taschenbuch Verlag,
einem Unternehmen der S. Fischer Verlag GmbH,
Frankfurt am Main, Juni 2003

© 2003 Fischer Taschenbuch Verlag in der S. Fischer Verlag GmbH,
Frankfurt am Main
Satz: H & G Herstellung, Hamburg
Printed by Nørhaven Paperback A/S, Dänemark
ISBN 3-596-16142-8

»Nichts ist erregender als die Wahrheit«
(Egon Erwin Kisch)

Inhalt

Vorwort

Das vorliegende Buch ist eine Aufarbeitung und Reflexion meines Tagebuches, das in Bagdad während des 3. Golfkrieges geschrieben wurde und auf der Webseite des Mitteldeutschen Rundfunks erschienen ist. Es war eine Arbeit unter erschwerten Bedingungen. Telefonisch gab ich meine Aufzeichnungen an die Kollegen von mdr.de nach Deutschland, die sie wiederum verschriftlichten und ins Netz stellten. Mitunter blieb für die Übermittlung von Informationen für die Tagebucheinträge nicht viel Zeit. Dennoch entstand, wie ich bei meiner Rückkehr nach Deutschland feststellen konnte, eine kleine Chronologie der Kriegsereignisse in und um Bagdad. Ehrlich gesagt, ohne das Tagebuch hätte ich mich im Nachhinein an viele Begebenheiten nicht mehr erinnern können. Zahlreiche (meist traurige) Eindrücke während des Krieges prägten sich mir als Berichterstatter zwar gut ein, aber sie während der Krise auch noch in Worten festzuhalten, war nicht immer einfach.

Die Resonanz auf das Tagebuch war erstaunlich positiv. Es gab mehr als 40.000 Zugriffe auf die Webseite des MDR. Mehr als 300 E-Mails und etliche Briefe erreichten die Redaktion. Die große Mehrheit der Zuschauer empfand das Tagebuch nach eigenen Aussagen als eine wichtige Ergänzung der täglichen Berichterstattung. Diese so positive Resonanz brachte mich dann auf die Idee, das Buch zu schreiben.

Ganz besonders und aufrichtig möchte ich mich bei all jenen Zuschauern bedanken, die in ihren E-Mails an den MDR meiner Familie Mut gemacht und damit auch mich persönlich sowie meine Arbeit unterstützt haben! Durch sie alle habe ich

9

erst bemerkt, dass sich die mitunter schwierige Berichterstattung aus Bagdad offenbar doch gelohnt hat.

Das Tagebuch ist chronologisch. Nur bei der Übermittlung der täglichen Informationen gibt es zeitliche Unterschiede, die den aktuellen Ereignissen geschuldet sind. Die Kapitel erheben nicht den Anspruch auf Vollständigkeit. Können sie auch nicht, denn zahlreiche Prozesse im Irak sind noch lange nicht abgeschlossen und auch die Aufarbeitung der Regimezeit von Saddam Hussein, vor allem der von ihm befohlenen Verbrechen, hat gerade erst begonnen.

Die Ausführungen in diesem Buch beschränken sich fast ausschließlich auf die Zeit während der Bombardierungen und kurz danach. Mitunter gibt es kurze Abstecher in die Geschichte des Irak. Hintergrund dafür ist der Versuch, persönliche Beobachtungen in den Kontext der komplexen Kriegsereignisse einzuordnen.

Es gab jedoch noch einen anderen, wichtigen Grund, der mich veranlaßte, einige im Tagebuch aufgeführte Aspekte weiter zu vertiefen. Vom ersten Kriegstag an wurde ich das Gefühl nicht los, dass der Konflikt längst entschieden war. Nun könnte der kritische Leser feststellen, es war uns doch allen klar, dass die technologisch überlegene Hypermacht USA die irakische Armee überrennen würde. Der Punkt ist sicher unstrittig. Nur: Warum wurden auf beiden Seiten, sowohl von den Invasoren USA und Großbritannien als auch vom Regime in Bagdad, derartig gespenstische Drohkulissen (einschließlich des Hickhacks während der UN-Inspektionen) aufgebaut, wenn der Ausgang des Konflikts schon vor dem eigentlichen Beginn längst feststand?

Dieser und anderen Fragen soll im Buch nachgegangen werden. Man musste als Kriegsbeobachter in Bagdad den Eindruck gewinnen, dass der 3. Golfkrieg zwar das Regime von Diktator Saddam Hussein beseitigt, jedoch mehr Fragen aufgeworfen als Antworten gegeben hat. Wirkliche Lösungen wurden bisher auch nicht präsentiert. Einige Voraussagen sind nicht eingetroffen (zum Beispiel der Einsatz von Chemiewaffen durch Saddam Hussein, um Bagdad gegen die Invasoren zu verteidigen), andere dagegen schon (wie die Schwierigkeiten bei der Regierungsbildung nach dem Sturz des Regimes). Vor allem der Mythos, dass die Amerikaner als Befreier im Irak begrüßt werden würden, hat sich inzwischen völlig in Luft aufgelöst.

Den Kollegen in der Redaktion mdr.de bin ich zu grossem Dank verpflichtet! Geduldig hatten sie während der Bombardierungen oft stundenlang versucht, mich telefonisch zu erreichen, was wegen des umfangreichen Arbeitspensums und der permanenten Gefahrenlage mehr als schwierig war.

Unbedingt erwähnt werden müssen die Kollegen der ARD-Tagesschau in Hamburg, des ARD-Morgenmagazins in Köln sowie des ARD-Mittagsmagazins in München. Die jeweiligen Verantwortlichen dieser drei Sendungen waren wichtige, zuverlässige Ansprechpartner in äußerst schwierigen Zeiten. Teilweise ging es in Bagdad so hektisch zu, dass Absprachen beispielsweise mit den Kollegen der Tagesschau schlichtweg nicht möglich waren. Aber irgendwie haben Schaltgespräche oder Übermittlungen von Beiträgen dann doch geklappt, was nicht zuletzt daran lag, dass alle Kollegen stets Verständnis für meine Situation vor Ort hatten und mich unterstützen, wo immer es ging.

Mein Dank geht ebenfalls an den Südwestrundfunk in Stuttgart, dort an die Chef- sowie die Auslandsredaktion für deren Unterstützung.

Besonders freue ich mich über den Beitrag meines Kollegen Philippe Deprez, der als »embedded reporter« mit wohltuend kritischer Distanz den Weg der Marines nach Bagdad begleitet und beschrieben hat.

Stephan Kloss,
im Mai 2003

Der angekündigte Krieg

Die US-Regierung hatte dem irakischen Regime ein Ultimatum gestellt. Am 18. März 2003 verkündete Präsident George W. Bush in einer Fernsehansprache, die US-Armee würde in den Irak einmarschieren, falls Staatschef Saddam Hussein, dessen Familie sowie der engere Führungszirkel der Baath-Partei nicht innerhalb von 48 Stunden das Land verlassen würden. Angeblich war nach Informationen aus US-Militärkreisen ein rund einwöchiger Krieg geplant. Zuerst sollten zwei Tage lang 3.000 Bomben und Marschflugkörper auf Bagdad fallen. »Shock and awe« – Schock und Abschreckung hieß die Strategie des Pentagons. Danach sollten die Invasionstruppen innerhalb weniger Tage nach Bagdad vorrücken. Wir Berichterstatter versuchten uns zu verdeutlichen, was es eigentlich heißt, wenn 3.000 Bomben auf Bagdad fallen. Eine Vorstellung wie das sein würde, hatte wohl fast niemand von uns.

Obwohl die Amerikaner aufgrund der politischen Verhältnisse in der Türkei (das Parlament in Ankara hatte überraschenderweise gegen einen US-Truppenaufmarsch an der Grenze zum Irak gestimmt) nicht in der Lage waren, sofort eine Nordfront zu eröffnen, marschierte die Invasionsarmee dennoch von Kuwait aus in den Irak ein – wie allgemein bekannt ist, völkerrechtswidrig. Diese Strategie war aus verschiedenen Gründen sehr erstaunlich. Rein aus militärischer Sicht mussten sich Washington und London ihrer Sache sehr sicher sein. Sonst wären sie wahrscheinlich nicht mit der Präzision eines Uhrwerks in den Irak eingerückt. Fast 250 Kilometer lang war die Militärkolonne der Invasionsarmee, die sich am 20. März von

Kuwait aus in Richtung Bagdad in Bewegung setzte. Parallel flogen amerikanische und britische Bomber Angriffe auf irakische Militärziele – und trafen dabei auch unzählige Zivilgebäude. Alles verlief offenbar nach Plan.

Wie war das möglich? Warum konnten die Invasoren zunächst so zügig in Richtung Südirak vorstoßen (Umm Kasr, Basra, Nasirijia), später Mittelirak (Nadjef, Kut, Kerbela) und schließlich Bagdad einnehmen? Das soll gewiss keine militärstrategische Erörterung werden, aber die Antwort auf die vorangestellte Frage ist von großer Wichtigkeit für das Gesamtverständnis dieses merkwürdigen Krieges.

Als ich im Februar in der südirakischen Stadt Basra unterwegs war, heulten am hellichten Tag die Sirenen auf: Fliegeralarm. Noch heute kann ich mich erinnern, wie ich vor dem Mutter-Kind-Hospital in Basra stand und mich wunderte. Amerikanische und britische Kampfjets bombardierten an diesem Tag militärische Ziele in der so genannten Flugverbotszone im Südirak. Was bedeutet: Washington und London führten schon lange vor dem eigentlichen Beginn am 20. März einen verdeckten Krieg gegen den Irak. Genauer gesagt dauerte der Krieg schon 12 Jahre …

1991 verabschiedete der UN-Sicherheitsrat eine Resolution, die den Schutz der Kurden im Nordirak und der Schiiten im Süden des Zweistromlandes festschrieb. Obwohl in der Resolution davon kein Wort steht, richteten Washington und London im Norden und Süden des Iraks Flugverbotszonen ein, die, von rechtlicher Seite her gesehen, illegal waren. Der irakischen Luftwaffe war es nicht mehr gestattet, in den Luftraum der Flugverbotszonen einzudringen. Das hatte zur Konsequenz, dass die Alliierten seit 1991 faktisch die Hoheit über den größten Teil des irakischen Luftraums besaßen. Lediglich Zivilmaschinen von *Iraqi Airways* durften regelmäßig mit amerikanisch-britischer und UN-Genehmigung von Bagdad aus die Städte Mossul im Norden und Basra im Süden anfliegen.

Im Herbst 2002 verstärkten amerikanische und britische Kampfflugzeuge ihre Angriffe auf die irakische Armee. Radaranlagen, Flugabwehrgeschütze und Abschussrampen für Boden-Luft-Raketen wurde systematisch zerstört. Zahlreiche Zivilisten sollen nach irakischen Angaben im Lauf der Jahre durch die Bombardierungen getötet worden sein. Die genaue Zahl ist nicht bekannt. Die Alliierten warfen außerdem monatelang hunderttausende Propagandaflugblätter ab. Auf ihnen wurde das irakische Militär aufgefordert, den Beschuss amerikanischer und britischer Flugzeuge zu unterlassen. Ob und wie sich die Demoralisierungskampagne auswirkte, ist nur schwer zu sagen.

Die Anwort auf die Frage, warum die Invasoren nach dem 20. März so zügig in den Irak vorrücken konnten, scheint klar: Die Alliierten hatten bereits seit Herbst 2002 die irakische Luftabwehr im Süden teilweise systematisch ausgeschaltet und wichtige Aufmarschgebiete ausspioniert. Lange bevor also die UN-Inspektoren nach Bagdad reisten, hatten Washington und London mit dem militärischen Vorspiel zum 3. Golfkrieg begonnen.

Diese Erkenntnis ist nicht unwesentlich. Denn in zahlreichen Medien wurden die Vorkriegsaktivitäten der Alliierten häufig schlichtweg ignoriert. In Meldungen hieß es lediglich, amerikanische und britische Kampfflugzeuge hätten Ziele in der südirakischen Flugverbotszone beschossen. Kein Wort davon, dass die Bombardierungen illegal waren. In der Tat: Ich kann mich an keine Nachrichtensendung erinnern, in der gesagt wurde, dass Amerikaner und Briten Kriegseinsätze in einer *illegal errichteten Flugverbotszone* über dem Irak flogen.

Oft diskutierte ich mit Kollegen über das Wort *illegal*, das in den Meldungen fehlte, stieß dabei jedoch auf Unverständnis. Dabei macht genau dieses eine Wort den entscheidenden Unterschied: Offenbar war es von Anfang an geplant, über jegliche von Washington und London geplante Militäraktion

14

den Schleier der Legitimität zu legen. Und so hat es bis kurz vor Kriegsausbruch zahlreiche Versuche der kriegführenden Seite gegeben, die Invasion gegen den Irak vor der Weltöffentlichkeit in das Licht der Rechtmäßigkeit zu rücken. Der britische Premierminister Tony Blair wurde nicht müde zu wiederholen, Saddam Hussein habe über 8.000 Liter Antrax gelagert und bedrohe damit die Welt. US-Präsident George W. Bush sah im irakischen Diktator denjenigen, der mit Massenvernichtungswaffen die Menschheit und vor allem die USA bedrohe.

Bagdad, 19.03.03, 23.00 Uhr MEZ
(01.00 Uhr Ortszeit)
Bagdad wartet auf den Angriff

Bagdad bei Nacht. Es ist hell, weil der Mond die Stadt aus-
leuchtet. Ein eigenartiger Tag. Weltuntergangsstimmung. Das
Wetter passt dazu. Der Wüstensturm der vergangenen Nacht
hinterließ gelben Nebel über Bagdad. Bis zum Abend blieb es
diesig. Trotzdem stieg die Temperatur auf mehr als 30 Grad. Es
scheint, als sei dieses Jahr der Frühling im Irak ausgefallen und
dem Winter gleich der Sommer gefolgt.

Wer kann, der flieht

Ich habe seit Stunden kein Auto am Hotel vorbeifahren hören. Schon am Tag waren immer weniger Leute auf der Straße
zu sehen. Mein Dolmetscher fragte, ob er nach Hause gehen
könne. Er wollte seine vier Kinder, drei von ihnen kleine
Mädchen, aus Bagdad herausbringen. Auch mein Fahrer ist
weg. Seine Frau steht kurz vor der Entbindung. Er wollte nicht,
dass sie das Kind inmitten von Bomben zur Welt bringen muss.
Keiner hindert die Einwohner von Bagdad, die Stadt zu verlassen. Aber nicht alle haben Verwandte, zu denen sie fahren
können.

Wir sind noch vier deutsche Journalisten hier. Für RTL,
ZDF, dpa – und ich für die ARD. Die ausländischen Journalisten wohnen in drei Hotels. Zwei liegen 100 Meter Luftlinie
entfernt vom Informationsministerium, das zu den angekün-

digten Zielen gehört. In der Nähe soll ein großer Bunker sein, der vielleicht auch als Kommandozentrale für das Militär dient. Das dritte Hotel ist 500 Meter vom Präsidentenpalast weg. Niemand hat die Dächer der Hotels markiert. Wir müssen uns darauf verlassen, dass die Bomberpiloten Bescheid wissen. Die meisten meiner Kollegen bauen darauf, so sagen sie zumindest. Ich zweifle. Wir sind alle bedrückt. Wir wissen nur: Was kommt, wird schlimm werden.

Bei den Liveschalten heute haben mich die Kollegen in Deutschland immer wieder gefragt, ob wir geschützt sind, ob es Luftschutzbunker gibt. Ich kenne keinen. Das Hotel hat einen Schutzraum, der allerdings kaum einer Bombe widerstehen dürfte.

Nervensache

Wir haben auch heute in unseren Büros im Informationsministerium gearbeitet. Plötzlich stürzte ein französischer Kollege mit seinem Kamerateam zum Ausgang. Er schrie, in 40 Minuten werde bombardiert. Wir sind geblieben. Am frühen Abend hörten die Teams aller Übertragungswagen, deren Satelliten die Fernsehbilder ins Ausland übertragen, auf zu arbeiten. Auf eigenen Entschluss, ohne Anweisung von irakischer Seite.

Die meisten Journalisten hier sind im Moment mit sich beschäftigt. Bei der Pressekonferenz von Friedensaktivisten, die sich als lebende Schutzschilde vor Krankenhäuser stellen wollen, war ich der einzige Fernsehjournalist. Die ungefähr 100 Ausländer, unter ihnen drei Deutsche, werden von den Irakern versorgt. Sie wohnen umsonst im Hotel, bekommen auch das Essen geschenkt. Sie können frei entscheiden, wo sie hingehen. Zwei der deutschen »Schutzschilde« haben mir gesagt, dass unter ihnen auch Spione waren. Ich fragte: Wie habt Ihr das bemerkt? »Die haben an komischen Stellen versucht, Fotos zu machen.« Die irakischen Behörden wiesen einige Aktivisten aus.

Eine Hilfsorganisation arbeitet noch in Bagdad. Sie heißt APN – Architekten für Leute in Not (Architects for People in Need). Der Chef, Alexander Christoph aus Bayern, koordiniert die Arbeit jetzt von der jordanischen Hauptstadt Amman aus. APN hat in Bagdad ein Netzwerk aus 200 Leuten, unter ihnen auch Ärzte, geknüpft. Sie wollen die Menschen nach Kriegsausbruch mit Lebensmitteln und Wasser versorgen. Wenn die Luftangriffe beginnen, sollen Sirenen die Menschen warnen. Ich telefoniere jeden Tag mit meiner Frau.

Bagdad, 21.03.03, 15.00 Uhr MEZ
(17.00 Uhr Ortszeit)
„Kriegsnormalität"

Heute am zweiten Kriegstag ist es fast, als ob nichts passiert wäre. Natürlich haben die Leute Angst. Aber es hat sich auch in Bagdad ein Zustand der »Kriegsnormalität« eingestellt. Die Leute sind wieder auf den Straßen. Abends ist alles hell erleuchtet – und Bagdad erstrahlt als wunderschöne Stadt. Es klingt absurd, aber das ist auch eine Seite der Kriegssituation. Wir Journalisten sitzen mittendrin und versuchen, Propagandameldungen von denen zu unterscheiden, die der Wirklichkeit entsprechen.

Propaganda und Wirklichkeit

So wird behauptet, in Bagdad wäre Panik ausgebrochen. Ich habe davon nichts bemerkt. Oder es wird gesagt, dass am Rande von Bagdad Gräben ausgehoben wurden. Auch davon habe ich nichts gesehen. Genauso wenig konnte ich einen von den amerikanischen Medien behaupteten Truppenaufmarsch beobachten. Es kommen verschiedene Meldungen, die nicht der Wahrheit entsprechen.

Immer wieder wird behauptet, Bagdad gleiche einer Geisterstadt. Auch das entspricht so nicht der Wahrheit. Mal wirkt Bagdad tatsächlich wie ausgestorben, aber innerhalb einer Stunde wird es wieder zur »normalen«, sehr schönen Stadt.

19

Nach dem ersten Angriff gab es mehrere Verletzte. Sie sind in den Krankenhäusern untergebracht. Ich habe Fotos von ihnen gesehen und denke, dass die Bilder aktuell sind und »echte« Verletzte zeigen.

Kein Krieg ist „sauber"

Man sollte den USA nicht glauben, dass dies ein »sauberer Krieg« ist, in dem es so wenig Opfer wie möglich gibt. Kein Krieg ist sauber. Es handelt sich um einen illegalen Krieg. Und der entspricht eben nicht der amerikanischen Propaganda von einem Krieg, der leicht zu gewinnen ist.

Eine andere Sache, die mich beschäftigt, sind die Meldungen, die ich aus Deutschland höre. So soll sich Harald Schmidt in seiner Sendung über die Berichterstattung aus dem Kriegsgebiet lustig gemacht haben. Hier arbeiten Menschen unter Einsatz ihres Lebens, um ein wenig Licht in das Dunkel zu bringen, und er sitzt zu Hause und macht sich über diese Reporter lustig.

Keiner weiß, was kommt

Zur Zeit kommen wir aus Bagdad nicht raus. Wir sitzen im Pressezentrum. Unser »Alltag« besteht daraus, zu berichten, Interviews zu geben, zu recherchieren und zu warten, was passiert. Es ist unmöglich, länger als fünf Minuten im Voraus zu planen. Ständig verändert sich alles und keiner weiß, wie es weitergeht.

Propaganda und Wirklichkeit

Die Wahrheit über die Irakinvasion wurde offenbar stets bewußt verzerrt. Das gilt für beide Seiten. Die Pressekonferenzen des irakischen Informationsministeriums waren mehr desinformierend als aufklärend. Die Statements des US-Zentralkommandos in Doha wirkten zwar sachlich und hochprofessionell, verbreiteten jedoch mitunter Lügen, wie Recherchen später offenlegten.

Zahlreiche Berichterstatter haben versucht, die Wirklichkeit des 3. Golfkrieges darzustellen. Dabei sollte eine kleine, aber wichtige Differenzierung vorgenommen werden in Reporter, die sich entschieden hatten in Bagdad zu bleiben, und diejenigen Kollegen, die »embedded« waren, also eingebettet in die vorrückenden Invasionsstreitkräfte. Der Unterschied zwischen Bagdad-Reportern und den »Embeddeds« besteht auch darin, dass die einen der irakischen Propaganda ausgesetzt waren, die anderen der der Invasionsarmee.

Für alle Berichterstatter war die Arbeit schwierig und mitunter lebensgefährlich. Der Tod von 11 Kollegen während des Kriegs dokumentiert das deutlich. Alle Berichterstatter konnten mit ihrer Arbeit immer nur einen winzig kleinen Ausschnitt der Kriegsrealität zeigen. Und selbst dieser Ausschnitt war oft nur eine Augenblicksbeschreibung einer sich permanent verändernden Kriegsszenerie.

Ausgewogenheit in der Berichterstattung war der schmale Grat, der gegangen werden musste. Ob das immer der Fall war, lässt sich nach so kurzer Zeit noch nicht vollständig beantworten. Es war immer mein persönliches Bemühen, ausgewogen zu berichten. Das erschien schwierig, war jedoch durchaus möglich.

Der 3. Golfkrieg lässt sich in zwei Phasen teilen. Phase eins war vom Beginn am 20. März bis kurz vor Ende des Monats. Dann begann ein zweitägiger Sandsturm, der das Vorrücken der Invasionsstreitkräfte zum Erliegen brachte. Nach dem Sandsturm setzte Phase zwei ein, die mit dem Einmarsch von US-Panzern in Bagdad am 7. April und der Einnahme des Zentrums am 9. April endete.

Die Unterteilung in zwei Phasen habe ich bewusst gewählt. Denn bis zum Sandsturm Ende März waren die irakischen Angaben über den Kriegsverlauf relativ objektiv. Die irakische Propaganda beschrieb den Verlauf der ersten Kriegstage als positiv. Verteidigungsminister Sultan trat mehrmals vor die Presse und verdeutlichte an großen Stabskarten, wo die Invasoren standen. Offenbar war es der irakischen Armee gelungen, die Angreifer in den ersten Kriegstagen aus den Städten herauszuhalten. Es gab harten Widerstand. Wir alle erinnern uns, wie lange die britische Armee die südirakische Stadt Basra belagerte, bevor sie sie einnehmen konnte.

Tatsächlich schienen die US-Truppen an einigen Städten vorbei durch die Wüste in Richtung Bagdad vorzustoßen. Einige Soldaten der 3. US-Marineinfanteriedivision bestätigten in späteren Gesprächen meinen Eindruck, wonach der Vormarsch die meisten irakischen Städte verschont hatte.

In jenen Tagen Ende März verkündete uns der irakische Informationsminister Mohammed Saeed Al-Sahhaf auf verschiedenen Pressekonferenzen den erfolgreichen Widerstand. Dabei gab es für uns Reporter nur einen Nachteil: Wir konnten die Informationen des Ministers nicht nachprüfen.

Damit bin ich auch schon bei einem wichtigen Kernpunkt angelangt: Unsere journalistische Arbeit in Bagdad beschränkte sich von Anfang an auf das persönliche Überprüfen von Informationen über Ereignisse in Bagdad. So grausam die Bilder der Bombardierung, von Toten und Verletzen auch waren. Darüber berichten konnte ich erst, wenn ich selbst die Kriegswirklichkeit gesehen hatte. »Was habe ich mit meinen eigenen Augen gesehen?« Die Beantwortung dieser Frage war entscheidend für eine glaubwürdige Berichterstattung.

Die täglichen Pressekonferenzen des irakischen Informationsministers waren weniger eine Informationsquelle, sondern vielmehr eine Gelegenheit zu erleben, wie ein Regierungssprecher den Standpunkt des Regimes vertritt und dabei nachweisbar schwindelt. Das Problem der irakischen Informationspolitik bestand oft auch darin, die Invasoren mit teilweise ausfälligen Beschimpfungen zu überziehen. Minister Sahhaf war bekannt dafür. Er sprach mitunter von den »blöden Wüstentieren«, »Kriminellen«, »Schuften« oder Georg W. Bush als dem »Führer einer internationalen, kriminellen Bande von Bastarden«, um nur ein paar Beispiele für Schimpftiraden zu nennen (unter www.sahhaf.de sind zahlreiche Zitate und Äußerungen zu finden). Das Ergebnis war, dass wohl die wenigsten Berichterstatter in Bagdad diese Pressekonferenzen wirklich ernst nehmen konnten – mit Ausnahme der meisten arabischen Kollegen, die teilweise live alles in ihre Heimatländer übertrugen. Manchmal musste ich mich sehr konzentrieren während der Pressekonferenzen, um herauszufinden, worüber Sahhaf eigentlich redete, z. B. wenn er von den bereits erwähnten »Wüstentieren« sprach. Er benutzte das Bild während der gesamten Pressekonferenz und sorgte bei den Journalisten teilweise für Belustigung. Es war unglaublich, wie sich ein erwachsener Mann so lächerlich machen konnte.

Zum Problem, dass wir die Angaben des Informationsministers nicht überprüfen konnten, kam, dass uns wenige oder keine

Fakten präsentiert wurden. Weder gab es Fotos von angeblich abgeschossenen US-Panzern noch Beweise von angeblich getöteten Invasionssoldaten.

Im Verlaufe des Krieges klappte die Schere zwischen Kriegswirklichkeit und irakischer Propaganda immer weiter auseinander. Einen ihrer Höhepunkte erlebte die irakische Propaganda, als das Staatsfernsehen einen mit einem alten Gewehr bewaffneten Bauern vor einem US-Apache-Hubschrauber zeigte. Der gute Mann hatte angeblich die US-Maschine abgeschossen. Glauben konnte ich das nicht. Der Hubschrauber war offenbar wegen einer technischen Panne notgelandet.

Dass der Krieg zu Ungunsten der irakischen Führung lief, war offensichtlich. Dennoch gab es einige höchst bemerkenswerte Tatsachen. Schauen wir kurz näher auf die amerikanisch-britische Propaganda. Von Seite der Invasoren hieß es vor und während des Krieges immer wieder, es bestehe die Möglichkeit, dass das Regime von Saddam Hussein Chemiewaffen (z. B. Senfgas) einsetzen könnte, um Bagdad zu verteidigen. Die irakischen Soldaten hätten entsprechende Befehle dazu erhalten. Wiederholt war in Meldungen die Rede davon, das Invasionsheer habe eine imaginäre so genannte rote Linie, die um Bagdad gezogen war, durchbrochen. Von jetzt an müsse mit dem Einsatz von Chemiewaffen durch die irakischen Streitkräfte gerechnet werden. Offen gestanden habe ich dieser Propaganda zu keinem Zeitpunkt geglaubt. Sehr gut erinnere ich mich noch an zahlreiche Schaltgespräche mit der Tagesschau, in denen das Thema diskutiert wurde.

Es war sehr schwierig für einen Korrespondenten vor Ort, Einschätzungen zum möglichen Einsatz von Chemiewaffen zu treffen. Ab und zu trug ich meine Gasmaske mit mir herum. Aber nicht, weil ich an einen Chemiewaffeneinsatz im Großraum Bagdad glaubte, sondern eher zur eigenen Beruhigung in jenen Kriegstagen, als in Bagdad eine eigenartige depressive Stimmung herrschte.

Viele Gerüchte schwirrten durch die Luft. Angeblich hatte Saddam Hussein Massenvernichtungswaffen irgendwo in der Kanalisation von Bagdad versteckt, um mit deren Einsatz die Invasoren aufzuhalten. Sogar in seinen Palästen sollen Massenvernichtungswaffen versteckt gewesen sein (mich wunderte dann nur sehr, warum die Invasionsstreitkräfte zahlreiche Paläste von Saddam Hussein bombardierten, obwohl doch akute Gefahr bestehen musste, dass die dort gelagerten Kampfstoffe nach einem Treffer in die Umwelt dringen und großen Schaden anrichten könnten).

Doch bleiben wir bei Propaganda und Wirklichkeit und bleiben wir bei den Fakten. Soweit wir inzwischen wissen, ist es in diesem Krieg nicht zum Einsatz von Massenvernichtungswaffen durch den Irak gekommen. Auch eine Chemiefabrik im Mittelirak wurde nicht gefunden, obwohl eine entsprechende Meldung verbreitet wurde. Dies scheint mir ein sehr wichtiger Punkt zu sein. In einer der ersten Pressekonferenzen nach Kriegsbeginn hatte der damalige irakische Vizepräsident Taha Yassin Ramadan verkündet, der Irak besitze keine Massenvernichtungswaffen mehr und könne sie demzufolge auch nicht einsetzen. Und so war es auch: Es wurden offenbar keine Massenvernichtungswaffen eingesetzt, und bis zum jetzigen Zeitpunkt haben die Invasionstruppen im Irak auch keine gefunden. US-Präsident George W. Bush und Großbritanniens Premierminister Tony Blair dagegen begründeten ihre Invasion damit, der Irak besitze Massenvernichtungswaffen und bedrohe damit die Welt.

Wir sprechen hier gerade über nichts Geringeres als über die Legitimation des Krieges. Dass Saddam Hussein ein Tyrann und Diktator war, darüber bestand zu keinem Zeitpunkt ein Zweifel. Aber der offizielle Kriegsgrund war die Bedrohung durch Massenvernichtungswaffen seitens des Exdiktators.

Wenn diese Waffen nicht auftauchen, würde automatisch der Kriegsgrund entfallen. Und was dann? War der 3. Golfkrieg irrtümlich oder zu voreilig oder doch aus ganz anderen Gründen geführt worden?

Bagdad, 23.03.03, 16.15 Uhr MEZ
(18.15 Uhr Ortszeit)
Märchen vom chirurgischen Krieg
ist zu Ende

Bagdad am frühen Abend: der Himmel ist schon den ganzen Tag dunkel von den zahlreichen Feuern um die Stadt. Die Ungewissheit über den Verbleib von zwei alliierten Piloten beschäftigt nicht nur die Journalisten. Eine weitere Bombennacht steht bevor – B-52-Bomber sind bereits unterwegs nach Bagdad.

Angst um mein Leben

Ich habe die Bombennacht von Freitag auf Sonnabend noch in den Knochen. Das sitzt tief im Körper drin. Es ist das Schlimmste, das ich je erlebt habe. Das Gebäude, in dem ich war, hat gezittert. Glas ist zersprungen. Ich bin hingefallen auf der Flucht in den Schutzraum. Ich hatte zum ersten Mal richtig Angst um mein Leben.

Es war so laut, so unglaublich laut. Da wird jedem klar: Es ist richtig Krieg, es ist kein Computerspiel mehr. Es ist tragisch, mit Verletzten und mit Toten. Einfach unfassbar.

Wohnhäuser zerstört

Die Angriffe in der vergangenen Nacht, auf Sonntag, waren nicht ganz so schlimm. Aber man gewöhnt sich vielleicht auch daran. Schlimm ist das Ganze für die Irakis, die mit ihren Familien in Bagdad geblieben sind. Es ist eine Tragödie. Denn jetzt wird auch klar: Das Märchen vom chirurgischen Krieg ist zu Ende. Es ist eine zivile Wohngegend getroffen worden. Fünf Wohnhäuser wurden zerstört. Nur 150 Meter entfernt liegt ein Krankenhaus.

Umso erstaunlicher ist es aber, dass bei der Zerstörung nur zwei Menschen verletzt worden sind. Eventuell konnten die Bewohner ja doch aus der Stadt fliehen, sich in Sicherheit bringen. Ich war da, habe die Zerstörung gesehen. Das Loch im Boden spricht für einen Marschflugkörper der Alliierten.

Nur eingeschränkt arbeiten

Noch kann ich relativ viel arbeiten, Liveschalten machen für die ARD. Aber es ist schwierig. Bei Bombenalarm müssen meine Kollegen und ich so schnell wie möglich abhauen. Es ist Krieg. Wir arbeiten ja im Informationsministerium, und das steht wohl auch auf der Liste der alliierten Bomber. Mich wundert, dass dort noch keine Rakete eingeschlagen ist.

Bis eben bin ich am Ufer des Tigris gewesen, dort, wo irakische Militärs wie die Wilden nach den beiden vermissten Piloten suchen. Das ist nur rund 300 Meter vom Pressezentrum entfernt. Ich war die ganze Zeit da, habe aber niemanden gesehen, der aus dem Wasser gezogen wurde. Auch Wrackteile habe ich nicht entdeckt und auch keinen Ölfilm.

Bombennächte

Drei Wochen Bombardierungen miterleben zu müssen, zehrt an den Nerven.

Es ist unmöglich, sich vor Kriegsbeginn eine Vorstellung davon zu machen, was es heißt, Tag für Tag bombardiert zu werden. Heute kann ich sagen, mehr Verständnis für die Kriegsgenerationen gewonnen zu haben. Ich kann mich noch sehr gut daran erinnern, wie meine Großeltern versuchten, mir vom 2. Weltkrieg zu erzählen. Aber es ist naturgemäß schwierig, Dinge nachzuvollziehen, die man selbst nicht erlebt hat.

Bis zum 20. März 2003, als in den frühen Morgenstunden die ersten Marschflugkörper in Bagdad einschlugen, herrschte Totenstille. Wie auf dem Friedhof. Die Stadt schlief. Wir Journalisten waren natürlich die ganze Nacht aufgeblieben. Wer konnte schon schlafen mit der Gewißheit, dass der Krieg beginnen würde? Kurz nach 4.30 Uhr Ortszeit, also eine halbe Stunde nach Ablauf des Ultimatums, zischte plötzlich etwas über das Hotel. Offenbar ein Marschflugkörper. Mir wurde auf einmal richtig schlecht. Nicht körperlich, eher gefühlsmäßig. Es war die nüchterne Gewissheit, dass der Krieg begonnen hatte, die mir so sehr auf die Seele schlug.

Richtig schlimm wurden die Bombardierungen ab dem 22. und 23. März. Zu diesem Zeitpunkt wohnte ich noch in einem kleinen Hotel direkt gegenüber vom Regierungsviertel, Luftlinie vielleicht 600 Meter entfernt. Erst später zog ich ins Palestine, wo alle ausländischen Berichterstatter wohnten. Jene Nacht vom 22. zum 23. März war katastrophal. Es war mit einer der schwersten Luftangriffe im 3. Golfkrieg. Die Invasionsstreitkräfte wollten offenbar per Luftschlag große Teile des Regierungsviertels in Schutt und Asche legen und die irakische Führung ausschalten.

Ich war gerade mitten im telefonischen Schaltgespräch mit der Tagesschau. Jeder wußte, dass eine schwere Bombennacht bevorsteht. Amerikaner und Briten hatten es selbst angekündigt. Ich saß am Fenster meines Hotelzimmers und beschrieb, was sich draußen abspielte. Bagdad war hell erleuchtet. Friedlich lag die Metropole in der Nacht. Plötzlich begann die irakische Flugabwehr im Süden der Stadt, heftige Salven in den Nachthimmel zu feuern. Die Leuchtspuren der Geschosse zogen ihre Bahnen kreuz und quer über Bagdad. Worauf feuerten die nur? Ich konnte nichts sehen, beschrieb aber die Szene für das Livegespräch.

Es war nichts zu sehen am Himmel, und genau das machte mir die größten Sorgen. Das Abwehrfeuer wurde immer heftiger und kam zugleich näher, näherte sich rasent schnell meinem Hotel. Am Himmel zuckten jetzt hunderte kleine Blitze, offenbar explodierte Flugabwehrmunition. Die Szenen hatten sich innerhalb von vielleicht 30 Sekunden abgespielt. Rings um das Hotel feuerten jetzt zahlreiche Geschütze.

Plötzlich wurde es taghell über unserem Stadtteil. Es gab eine gewaltige Detonation. Etwas war ganz in der Nähe des Hotels eingeschlagen, was immer es auch war, ganz sicher auf der anderen Flussseite im Regierungsviertel. Wie gesagt, nur 600 Meter Luftlinie vom Hotel entfernt. Nun war mir auch klar, worauf die Irakis geschossen hatten: auf anfliegende Marschflugkörper und Präzisionsbomben.

Es wurde lauter. Eilig schilderte ich noch die letzten Beobachtungen der Tagesschau und sagte dann, dass ich mich jetzt erst einmal in Sicherheit bringen werde. Vorsorglich hatte ich mich neben das Fenster gekauert, um nicht durch Glassplitter verletzt zu werden für den Fall, dass eine Druckwelle die Scheibe zerstört hätte. Die Moderatorin am anderen Ende der Leitung rief noch schnell, ich solle sofort gehen. Ihrer Stimme konnte ich höchste Sorge und Angst entnehmen. Alles lief live über den Sender.

Ich legte den Telefonhörer auf und stürzte aus dem Zimmer. Ganz fest hatte ich damit gerechnet, dass jeden Moment eine Rakete oder irgendetwas anderes hier einschlagen würde. Bevor ich die Zimmertür erreichte, bebte das ganze Hotel. War es getroffen? Keine Zeit zum Nachdenken. Aus der Tür raus rannte ich den Gang entlang zur Treppe, die nach unten in die Lobby führte. Dort wollte ich Schutz suchen. Während ich auf die Treppe zulief, erbebte das Hotel erneut. Durch das Glasdach in der Mitte des Hotels drang helles Tageslicht ins Innere des Gebäudes. Was war das? Der Lichtblitz von einem Atompilz? Diese Gedanken schossen mir unwillkürlich durch den Kopf, schließlich hatte Washington den Einsatz von so genannten Mini-Atombomben nicht ausgeschlossen.

Ich konnte es mir absolut nicht erklären, woher die Lichtblitze kamen. Im Regierungsviertel musste erneut etwas eingeschlagen sein. Aber so gewaltig, dass wir im Hotel auf der anderen Flussseite Lichtblitze sahen und die Druckwellen spürten.

Während ich zur Treppe hastete, schlingerte der Boden unter meinen Füßen. So unglaublich es klingt, die Detonationen hatten offenbar ein kleines Erdbeben ausgelöst. Ich versuchte, mich an der Wand abzustützen, aber auch die Wand bewegte sich, wahrscheinlich das ganze Gebäude. Ich stürzte mehrmals auf der Treppe. Unten in der Lobby rannte ich sofort hinter die Rezeption, von dort gemeinsam mit dem Hotelpersonal zur Kellertreppe im hinteren Hausteil. Hier blieben wir zunächst und warteten einfach ab. Ich war der einzige Hotelgast. Wir schwiegen die meiste Zeit.

Es gab weitere, ohrenbetäubende Explosionen. Eine massive Druckwelle fegte über das Hotel. Fast alle Fenster der Frontfassade sprangen plötzlich aus den Rahmen und zerbrachen klirrend am Boden. Ein schreckliches Geräusch. Der Druck auf die Trommelfelle war stark. Ich hielt meine Ohren mit den Händen zu. Mehrmals dachte ich, das dreistöckige Hotel würde gleich einstürzen.

Nach Mitternacht waren die Angriffe vorerst vorüber. Wir nahmen all unseren Mut zusammen, stiegen auf das Dach und schauten hinüber zum anderen Flussufer. Dort brannten die meisten Regierungsgebäude. Aus den Häusern loderten große Flammen. Wer dort drüben war, der hatte den Angriff garantiert nicht überlebt.

Bagdad lag wieder friedlich in der Nacht. Die Stadt hell erleuchtet. Die Stromversorgung funktionierte noch. Fast schien es so, als sei nichts geschehen. Es war ruhig. Unglaublich, dass hier vor wenigen Augenblicken wuchtige Explosionen die Luft erschüttert hatten: Kriegsrealität.

Später berichteten einige Nachrichtenagenturen: »Bagdad brennt«. Mir wurde sofort während eines Schaltgespräches die Frage gestellt, ob ich das bestätigen könne. Natürlich konnte ich das nicht. Teile des Regierungsviertels brannten. Irgendwo in den Außenbezirken waren auch Feuer zu sehen. Mehr nicht. Einige Fernsehstationen hatten die Bombardierung aus der Entfernung gefilmt. Auf den Bildern sah es tatsächlich so aus, als ob ganz Bagdad in Flammen stehen würde. Es stimmte aber nicht. Denn die Bilder zeigten fast nur das brennende Regierungsviertel, nicht aber den Rest der irakischen Hauptstadt.

Am nächsten Morgen, auf der Fahrt zum Informationsministerium, konnte man die getroffenen Gebäude in Augenschein nehmen. Es waren tatsächlich alles Regierungsgebäude und teilweise komplett zerstört.

Jene Bombennacht steckte mir noch lange in den Gliedern. Meine Ohren schmerzten und ich brauchte einige Tage, um mich einigermaßen wieder zu beruhigen. Danach begann man, sich mit den Bombardierungen irgendwie zu arrangieren. Daran gewöhnen konnte man sich eigentlich nicht.

Das Schlimme an den Bombardierungen war unter anderem der plötzliche Lärm.

Manchmal, wenn mitten in der Nacht Raketen oder Marschflugkörper einschlugen, erschütterte der Lärm den ganzen Körper. Man erwachte aus zwei Gründen, dem Lärm und das dadurch verursachte plötzliche Herzrasen. Ich wachte oft mit Herzrasen auf. Zum Schreck kommt dazu, dass man sich Sorgen macht, wo die Rakete eingeschlagen ist. Vielleicht auf dem eigenen Hoteldach? Der zweite Grund war, dass das Gebäude durch die Druckwellen regelrecht geschüttelt wurde und schwankte.

Im Verlauf der Bombennächte hatte ich mir angewöhnt, meine Matratze in den Flur des Zimmers zu legen. Das Hotelzimmer war so konstruiert, dass man durch die Zimmertür in den Flur eintrat, von dem die Türen zum WC und zum Bad abgingen. Nach vielleicht drei Metern kam man durch eine weitere Tür ins eigentliche Zimmer. Von dort führte eine gläserne Schiebetür zum Balkon mit Blick in Richtung Regierungsviertel, Tigris, Osten, Süden und Südwesten von Bagdad.

Um bei einem möglichen Raketeneinschlag bessere Überlebenschancen zu haben, vor allem gegen umherfliegende Glassplitter geschützt zu sein, schlief ich also im Flur, die Tür als Splitterschutz angelehnt. Andere Kollegen hatten ihre Zimmertüren genommen und von außen vor die Glasschiebetür gestellt. So hatte eben jeder seine persönliche Methode, um die eigene Sicherheit ein bißchen zu erhöhen. Es soll auch Berichterstatter gegeben haben, die nachts mit angelegter Splitterweste schliefen – ich selbst habe es nicht gesehen. Das war ohne Zweifel unbequem, vielleicht aber auch sicherer.

Fast niemand von uns Berichterstattern hat nachts während der Bombardierungen im Schutzraum des Hotels geschlafen.

Das wäre unter Umständen auch gefährlich geworden, wenn das Gebäude einen Treffer abbekommen hätte und in Teilen oder ganz zusammengestürzt wäre. Dann wäre der Schutzraum im Hotel möglicherweise zum Grab geworden. Im Grunde aber was es eigentlich egal, wo man schlief. Es war überall gefährlich.

Bagdad, 24.03.03, 20.30 Uhr MEZ
(22.30 Uhr Ortszeit)
Der Krieg stärkt Husseins Regime

Bagdad am Abend: Über der Stadt wurde gerade Entwarnung gegeben. Den ganzen Tag verstreut gab es immer wieder Fliegeralarm. Am Nachmittag gab es in einem Bagdader Vorort eine heftige Explosion. Die Erde in der Hauptstadt hat gebebt, obwohl die Einschlagsstelle gut 30 Kilometer vom Zentrum entfernt war. Dicke Rauchwolken standen am Himmel. Auch in der Stadt gibt es viele zerstörte Gebiete. Vor allem das Regierungsviertel ist nahezu vollständig zerstört. Wenn Alarm ausgelöst wird, und ich im Hotel bin, laufe ich nach unten und suche mir einen Platz in der Mitte des Gebäudes. Das soll den »sichersten« Schutz bieten, wenn das Haus einstürzt.

Regimekritiker und Hussein-Anhänger vereint

Die Menschen in Bagdad wirken gereizt und nervös. Sie sind ohnmächtig vor Wut auf die Amerikaner. In dieser Stunde stehen die Iraker hinter Saddam Hussein und gegen die Alliierten. Keiner kann sich vorstellen, sich den »Befreiern« zu ergeben. Regimekritiker und Hussein-Anhänger sind in dieser Stunde vereint in ihrem Zorn auf die Amerikaner. Niemand hätte erwartet, dass sich die irakischen Militärs so stark gegen Bushs Truppen wehren würden, aber genau das bestärkt die Leute in der Hauptstadt. Auch die Rede Husseins am Morgen hat die Iraker nur noch enger zusammengeschweißt. Keiner würde sich kampflos ergeben.

Vorsicht vor Propaganda von beiden Seiten

Wasser und Strom sind zum Glück noch nicht unterbrochen. Wenn ich aus dem Fenster schaue, sehe ich eine hell erleuchtete Stadt. Doch die Leute haben Angst, dass der Strom ausfällt. Wenn das Wasser knapp wird, können Seuchen ausbrechen. Die Amerikaner wollen zwar keine lebenswichtigen Einrichtungen treffen, aber nach einem Bericht der Iraker ist ihnen das in Basra offenbar passiert. Dort soll der Strom schon ausgefallen sein.

Hier gibt es für Journalisten sogar noch Satellitenfernsehen. Da kann ich mir die Berichte der Alliierten ansehen. Die Berichterstattung beider Seiten ist sehr unterschiedlich und ich muss aufpassen, keine Propaganda weiterzugeben. Manchmal ist das sehr schwer einzuschätzen. Das irakische Regime will, dass die Journalisten die Verwundeten, Getöteten und Gefangenen zeigen. Sie führen uns in Krankenhäuser. Dort habe ich heute verletzte Zivilisten gesehen. Sie waren von Granatsplittern getroffen worden, also wirklich Kriegsopfer. Die Amerikaner verkünden, sie führen einen sauberen, chirurgischen Krieg, und zeigen kaum Bilder der Kriegsschläge. Aber wer in Bagdad ist, sieht, dass dem nicht so ist. Ich habe selbst gesehen, dass Marschflugkörper in einem Wohngebiet und in der Nähe der Universität eingeschlagen sind.

Das Leben erlahmt

Wir leben hier in permanenter Bedrohung. Auch wenn die Angriffe vor allem dem Regierungsviertel gelten, das auf der anderen Flussseite liegt, merkt man doch, wie nah das eigentlich alles ist. Vor allem, wenn die Raketen direkt über das Hotel zischen und dann in der Nähe einschlagen. Die Stadt ist schon ein richtiger Kriegsschauplatz. Viele Häuser sind ausgebrannt und teilweise zusammengefallen. Es sind kaum noch Menschen auf der Straße, die meisten Geschäfte haben geschlossen.

Ich werde jetzt auf mein Zimmer gehen und versuchen, ein wenig zu schlafen. Die Nächte hier sind kurz. Zwischen zwei und drei Uhr nachts werden immer Angriffe geflogen. Dann ist es schwer wieder einzuschlafen.

Am Dienstag konnte ich nicht nach draußen telefonieren. Der Sandsturm über Bagdad machte offenbar jede Kommunikation ins Ausland unmöglich. Ich musste den ganzen Tag in meinem Büro bleiben. Beim Blick aus dem Fenster hat man kaum etwas gesehen. Rauszugehen und zu berichten war nicht ratsam. Wenn man nur den Mund aufgemacht hat, hat man sofort Sand geschluckt. Nach dem Sturm wirkte die Stadt scheinbar romantisch. Alles war mit einer feinen, hellen Sandschicht überzogen. Das hat mich an Schnee zu Weihnachten erinnert. Nur hier ist es ein »Weihnachten« unter Palmen.

Die innere Stimme

In der letzten Nacht haben Raketen das Gebäude des irakischen Fernsehens getroffen. Mein Hotel liegt nur etwa 300 Meter davon entfernt. Es steht noch, aber ich bin trotzdem froh, dass ich die Nacht nicht dort verbracht habe. Ich hatte gestern Abend die Vorahnung, dass es besser wäre, mir ein anderes Hotel zu suchen. Heute bin ich froh, dass ich auf meine innere Stimme gehört habe. Die Alliierten haben das Zentrum Bagdads bisher nur nachts angegriffen. Tagsüber gibt es Einschläge in den Vororten. Die Druckwellen spüren wir dann auch.

Bagdad gleicht einem Kessel. Die Leute haben Angst. Aber Flüchtlingsströme sehe ich nicht. Wo sollen die Menschen aus der Hauptstadt auch hin? Im Süden und Norden wird gekämpft. Im Osten ist der Iran. Die Bewohner Bagdads, mit denen ich gesprochen habe, würden nicht in Richtung Iran fliehen. Niemand weiß hier, was in den nächsten Stunden und Tagen passiert. Die amerikanischen und englischen Truppen sollen ja schon kurz vor Bagdad stehen. Aber seit Tagen sind sie scheinbar kaum vorgerückt. Zumindest hören wir seit drei Tagen immer von 80 Kilometern.

Leute bereiten sich auf Straßenkämpfe vor

Obwohl niemand weiß, wann genau die alliierten Bodentruppen einmarschieren, sind die Einwohner der Hauptstadt vorbereitet. Milizen patrouillieren durch die Stadt. Sie bereiten sich auf Straßenkämpfe vor. Ich habe gesehen, wie sie Erdlöcher gebaut haben. Die sind mit Blech und Gras abgedeckt. Die Leute hier werden sich nicht kampflos ergeben. Viele ahnen, dass es nicht mehr lange bis zum Angriff dauert.

Ich habe gehört, dass der Flughafen von Bagdad angegriffen wurde. Nur ist mir unbegreiflich, warum das geschehen ist. Wahrscheinlich vermuten die Alliierten dort Militäreinrichtungen. Der zivile Luftverkehr ist schon lange eingestellt worden. Fast alle Maschinen sind schon vor Kriegsbeginn zur Sicherheit ins Ausland gebracht worden.

Versorgung halbwegs gesichert

Es geht mir sehr nahe, wenn ich Berichte über tote Zivilisten höre. Auch der Tod von Kollegen lässt mich nicht kalt. Erst vor zwei Tagen soll wieder ein Journalist umgekommen sein. Wenn ich das höre, könnte ich weinen. Aber dafür bleibt keine

Zeit. Ich muss an die Arbeit denken. Tagsüber herrscht so etwas wie Scheinnormalität. Heute Morgen ist die Stimmung in der Stadt sehr schlecht. Ich habe das Gefühl, hier herrscht eine große Depression. Die Menschen haben Angst vor der Ungewissheit.

Die Versorgung für die Leute ist halbwegs gesichert. Das Regime von Saddam Hussein hat Essensrationen für sechs Monate im Voraus für die Iraker ausgegeben. Dadurch sind die Menschen erst einmal mit dem Wichtigsten versorgt. Ich selbst versuche, einmal am Tag warm zu essen und sehr viel zu trinken. Mit dem Essen, das ich vom Hotel bekomme, bin ich sehr vorsichtig.

Auch wenn ich nicht weiß, was mich in der nächsten Zeit erwartet, ich werde bleiben und über die Ereignisse hier in Bagdad berichten. Ich plane von Stunde zu Stunde und werde das Unerwartete erwarten.

Der geheime Bewunderer Amerikas – eine streitbare These

Über das amerikanisch-irakische Verhältnis ist viel und umfassend berichtet worden in den vergangenen Jahren, vor allem über die Beziehungen zwischen 1980 bis 1989. Die Ausführungen in der einschlägigen Literatur verweisen immer wieder auf US-Rüstungshilfe (die es auch von der damaligen Sowjetunion, Frankreich und Deutschland gab) in den 80er Jahren für Saddam Hussein. Washington hatte nicht nur Militärtechnik an den Irak verkauft und Kredite gewährt, sondern den Diktator in Bagdad auch während des Kriegs gegen den Iran mit zahlreichen wertvollen Informationen versorgt. Beispielsweise erhielt das irakische Militär Satellitenaufnahmen von iranischen Stellungen an der Front.

Die Verflechtungen der USA mit dem Irak sind sogar auf einem Foto festgehalten worden. Es entstand vor 20 Jahren. Zu sehen ist der heutige Verteidigungsminister Donald Rumsfeld, der Saddam Hussein die Hand schüttelt. Im Dezember 1983 war Rumsfeld Vorstandschef eines US-Pharmakonzerns, zugleich aber auch der Mittelostbeauftragte des damaligen republikanischen Präsidenten Ronald Reagan. In den Gesprächen der beiden Männer ging es um Waffen. Der Irak war im Krieg mit seinem Nachbarland Iran. Dort regierte der amerikafeindliche Ayatollah Chomeini, der 1979 den amerikatreuen Schah gestürzt hatte.

Offenbar lag es im Interesse Washingtons, als Saddam Hussein im Herbst 1980 in den Iran einmarschierte. Zumindest kam aus dem Weißen Haus kein Protest. Auch gab es überraschenderweise keine Sitzung des UN-Sicherheitsrates, in der mit einer Resolution ein Embargo gegen den Irak verabschiedet wurde.

Saddam Hussein kooperierte mit den USA, wo es nur ging, und umgekehrt die USA mit ihm. Als sich der Kriegsverlauf aus irakischer Sicht negativ entwickelte und die iranischen Truppen 1982 zur Gegenoffensive übergingen, verstärkte Washington sogar seine Unterstützung für Saddam Husseins Regime. Ronald Reagan und die gesamte US-Administration bekamen Angst bei dem Gedanken, dass die reichen Ölvorkommen im Irak in die Hände Teherans fallen könnten. Schnell schickte die US-Regierung Donald Rumsfeld nach Bagdad, der eine zügige diplomatische Annäherung einleitete. Irgendwo in den persönlichen Unterlagen Saddam Husseins müsste sich noch ein Schreiben von Ronald Reagan befnden, das Rumsfeld bei seinem Besuch überbracht hatte.

1984 nahmen der Irak und die Vereinigten Staaten diplomatische Beziehungen auf. 1985 erlaubte das Weiße Haus amerikanischen Unternehmen den Export von Spitzentechnologie in den Irak, was bis zu dem Zeitpunkt verboten war. Der Giftgasanschlag auf das kurdische Dorf Halabja, bei dem 5.000 Kurden ums Leben kamen, war offensichtlich nur möglich, weil US-Firmen die entsprechende Technologie für die Gasproduktion geliefert hatten.

Von amerikanischer Seite aus blieb das Massaker unkommentiert, obwohl die Weltöffentlichkeit protestierte. Die gravierenden Menschenrechtsverletzungen von Saddam Hussein und der Besitz von Massenvernichtungswaffen störte die US-Regierung wenig. Sie schwieg einfach. Und nicht nur das. Präsident Reagan blockierte Sanktionen gegen den Irak, die vom US-Kongress beschlossen waren. 1989, ein Jahr nach dem Massaker von Halabja, versuchte Washington den Irak als regionalen Verbündeten zu sichern.

George Bush senior, der Vater des heutigen US-Präsidenten, unterzeichnete sogar eine Direktive, die »dem Irak wirtschaftliche und politische Anreize geben sollte, um sein Verhalten zu mäßigen und unseren Einfluss zu stärken«.

Als Saddam Hussein am 2. August 1990 in Kuwait einmarschierte, war die amerikanisch-irakische Zusammenarbeit plörzlich beendet. Saddam Hussein wurde von Washington zum bösen Diktator erklärt. Im Weißen Haus sah man den irakischen Regimechef einzig und allein als wichtigen Gegenspieler zum Iran. Mehr Bedeutung besaß Saddam Hussein für die US-Aministration offenbar nicht. Darüber, dass Washington fast ein Jahrzehnt lang dazu beitrug, Diktator Saddam Hussein aufzurüsten und an der Macht zu halten, ist in den USA wenig zu hören, auch nicht im unmittelbaren Vorfeld des 3. Golfkrieges.

Wer durch Bagdad fährt, kann die Spuren dieser engen politischen und wirtschaftlichen Zusammenarbeit zwischen dem Irak und den USA heute noch erkennen. Das Autobahnnetz im Irak ist so großzügig angelegt wie in den USA, ebenso die Flughäfen (gebaut von deutschen Firmen). Auf irakischen Straßen fahren immer noch zehntausende Autos aus amerikanischer Produktion der siebziger und achtziger Jahre: Oldsmobile, Chevrolett, GMC, alles Fahrzeuge mit großen Hubräumen, ebenso wie in Amerika. Selbst die weltweit bekannten gelben amerikanischen Schulbusse sind noch heute im Zweistromland unterwegs. Sie waren in großen Stückzahlen aus den USA importiert worden.

Der Irak verkaufte in den achtziger Jahren Rohöl an die USA, teilweise einen Dollar pro Barrel unter dem Weltmarktpreis. Innerhalb eines Jahres, zwischen 1987 und 1988, vervierfachte sich sogar der Export des preiswerten irakischen Öls in die USA auf 126 Millionen Barrel. Auch die amerikanische Luftfahrtindustrie machte Milliardengeschäfte mit dem Irak. So orderte die staatliche Fluggesellschaft *Iraqi Airways* beim Boeing-

Konzern in Seattle zahlreiche Maschinen. Die Liste von Wirtschaftskontakten ist lang.

Dass Saddam Hussein insgeheim ein Bewunderer amerikanischer Machtpolitik war und deshalb Anlehnung an Washington suchte, um im Mittleren Osten zum führenden Regionalfürsten aufzusteigen, war mehr als offensichtlich.

Die US-Administration und der irakische Diktator haben sich über Jahre hinweg gegenseitig benutzt. Recht interessant und doch mysteriös war der Vorschlag des irakischen Präsidenten im Februar diesen Jahres, sich telefonisch einen Schlagabtausch mit Georg W. Bush zu liefern, der das Ansinnen ablehnte. War das nur ein Propagandatrick? Was wollte Saddam Hussein wirklich? Die Antwort auf diese Frage ist momentan unmöglich zu finden, wahrscheinlich aber interessant.

Für den einfachen Bürger im Irak war bis Anfang der neunziger Jahre klar: Amerika ist unser Freund. Ob das die Irakis nun gut fanden oder nicht, das sei dahingestellt. Aber für die Entwicklung nach dem Sturz Saddam Husseins ist diese Vorgeschichte durchaus bedeutend. Als die ersten US-Panzer am 9. April in Bagdad einrückten, gab es vor unserem Hotel sofort die ersten antiamerikanischen Demonstrationen. Einige Männer riefen erbost, Saddam Hussein habe mit Amerikanern und Briten zusammengearbeitet, er habe den Invasoren das Tor in den Irak geöffnet.

Die Amerika-Skepsis in Bagdad nahm später noch zu, als die Stadt fast eine Woche lang in Chaos und Anarchie versank, Ministerien und Museen geplündert wurden.

Der ehemalige amerikanische Kooperationspartner war gekommen und hatte den irakischen Präsidenten gestürzt. Das macht viele Irakis mißtrauisch, die vor allem auch in der Unterstützung Washingtons die Ursache dafür sehen, dass Saddam Hussein Anfang der achtziger Jahre kometenhaft zum Machtmenschen emporsteigen konnte und im Verlaufe seiner Amtszeit den Irak wirtschaftlich verschliss (wobei natürlich auch das

1991 vom UN-Sicherheitsrat beschlossene Handelsembargo das Zweistromland nachhaltig wirtschaftlich geschädigt hat, vor allem den Mittelstand).

Dass Saddam Hussein nur durch die Militärmacht USA gestürzt werden konnte, haben die meisten Irakis, mit denen ich geredet habe, akzeptiert. Gleichzeitig jedoch wollen sie keine US-Truppen im Land mehr sehen, sondern fordern den sofortigen Abzug der Invasionsarmee. Die Situation hat etwas Schizophrenes. Nicht wenige Irakis sind immer noch wütend über die wochenlangen Bombenangriffe auf ihr Land durch amerikanische und britische Bomber. Mit wem man auch redet auf der Straße in Bagdad, alle sagen, dass sie ihr Land lieben. Am besten ohne Saddam Hussein und ohne US-Truppen. Darin liegt möglicherweise das Konfliktpotential für die kommende Zeit. Denn eine ausländische Besatzungsmacht werden die Irakis nicht gutheißen. Das trifft auch und vor allem auf die schiitische Bevölkerungsmehrheit zu, die sehr amerikakritisch ist. Sie wird in den kommenden Jahren den politischen Ton angeben im Irak.

Bagdad, 27.03.03, 8.30 Uhr MEZ,
(10.30 Uhr Ortszeit)
Statt Rakete traf es Zivilisten

In der Nacht gab es wieder gewaltige Explosionen am Stadtrand von Bagdad, der Boden bebte bis ins Zentrum. Wahrscheinlich wurden militärische Stellungen mit großen Bomben und Raketen beschossen. Die Einschlaggebiete lagen außerhalb von meinem Aktionsradius, zu Schäden kann ich nichts sagen. Ich fühle mich aber wieder etwas sicherer, da die Ziele der Luftangriffe weit entfernt vom Stadtzentrum liegen.

Zivile Opfer wurden in Kauf genommen

Der US-Angriff auf eine Hauptverkehrsstraße am Mittwoch galt einer irakischen Rakete. Wenige hundert Meter entfernt vom Einschlagort fuhr ein Raketentransport. Gefeuert wurde trotz Sandsturm, und zivile Opfer wurden in Kauf genommen. Wie viele Menschen umkamen, ist noch immer nicht genau bekannt – es waren wohl mindestens 14, eher aber mehr. Ich habe zwei Bombenkrater gesehen. Augenzeugen versicherten mir, dass die Rakete nicht im Wohngebiet stationiert war, sie war verpackt und auf dem Transport.

Gestern Morgen wurde ja auch der staatliche Fernsehsender mit drei Raketen beschossen. Ich glaube, die Rolle des Staatsfernsehens als Propagandainstrument wird überbewertet. Im Wesentlichen wird Unterhaltung mit Propagandamusikclips gezeigt. Zwischendurch gibt es Nachrichten, in denen natürlich

46

auch Propaganda gemacht wird. Aber die Alliierten machen das doch ebenso. Die Irakis wissen selbst, dass sie keinem trauen können. Sie informieren sich auch bei anderen arabischen Sendern oder der BBC.

Krieg kann noch Monate dauern

Zur Eröffnung einer Nordfront gibt es noch keine Informationen von irakischer Seite. Oft ist es sogar so, dass Geheimdienstleute zu mir kommen und mich zur aktuellen Lage befragen. Die Amerikaner wollen Bagdad offenbar in die Zange nehmen. Aber ich schätze, der Aufbau einer zweiten Angriffslinie dauert noch Wochen, der Krieg wahrscheinlich sogar Monate. Fakt ist: Bis jetzt wurde noch keine große Stadt eingenommen. Der Vormarsch ist vorerst gestoppt. Der kontrollierte Ausbruch der irakischen Armee aus Basra ist auch Indiz, dass der Widerstand viel stärker ist, als immer dargestellt.

„Sandsturm war Zeichen Allahs"

Demoralisierung oder gar einen Aufstand der Bevölkerung kann ich nicht erkennen. Diese Hoffnungen sind illusorisch. Amerikaner und Briten werden nicht als Befreier gesehen, auch kaum unter Saddam-Kritikern. Selbst Familienväter haben mir gesagt, sie wollten zur Waffe greifen, wenn die Amerikaner einmarschieren. Dabei ist natürlich auch viel Drohgebärde.

Den starken Sandsturm am Dienstag und Mittwoch sehen viele Irakis als Zeichen Gottes; Allah wolle die Amerikaner aufhalten. Es war angeblich der schwerste Sturm seit Jahrzehnten. Man darf auch nicht vergessen, dass die USA seit Jahren Krieg gegen Irak führen – mit der Kontrolle der Flugverbotszonen. Es gab immer Luftangriffe und zivile Tote. Die Iraker glauben, der Einmarsch wurde seit Jahren vorbereitet. Die Invasion wird nur als Fortsetzung des Konflikts gesehen.

Irak kann Bevölkerung selbst versorgen

Eine drohende humanitäre Katastrophe im Irak kann ich nicht bestätigen und halte dies teils für alliierte Propaganda. Der Irak hat noch immer genug Geld, um die Bevölkerung mit allem Notwendigen zu versorgen. Es gibt noch 24 Milliarden Dollar Reserven und genug zu essen, auch aus dem Programm »Öl für Lebensmittel«. Die Essenverteilung verläuft hier sehr professionell. Jeder bekommt seinen Warenkorb. Der Notstand im belagerten Basra scheint eher die Ausnahme, und es ist schwer abzuschätzen, wie die Lage dort wirklich ist.

Bagdad, 28.03.03, 10 Uhr MEZ
(12 Uhr Ortszeit)
Fühle mich wie ein Hase

Die Lage in Bagdad ist schrecklich, permanent wird bombardiert. In der vergangenen Nacht habe ich kaum geschlafen. Unser Hotel hat gebebt, die Fensterscheiben klirrten. Meine Trommelfelle schmerzen von den Druckwellen der Explosionen. Als ich heute Morgen aus dem Fenster sah, wurde 1000 Meter entfernt eine Sendestation getroffen. Trotzdem bleiben die meisten Journalisten auf ihren Zimmern. Wir haben hier keinen wirklichen Schutzraum und können nur hoffen.

Bombenangriffe zerren an den Nerven

Mein Tag verläuft im Rhythmus der Luftangriffe. Das zerrt an den Nerven. Im Moment wird wieder der Stadtrand bombardiert. Die Lage wechselt ständig. Ich kann mich kaum auf die Arbeit konzentrieren, bin durch das Dauerbombardement immer stärker eingeschränkt. Auf dem Journalistenzentrum steht ein Flugabwehrgeschütz, das sicher irgendwann auch Ziel der Luftangriffe werden wird. Wenn es in der Nähe kracht, rennen wir in einen Durchgang von einem nahen Neubauwohnblock, der relativ stabil zu sein scheint. Ich fühle mich wie ein Hase.

In der Stadt wird es immer ruhiger, allein die Hauptverkehrsstraßen sind belebt. Die meisten Geschäfte sind zu. Es gibt noch fliegende Händler, weil diese schneller bei Luftangriffen flüchten können. Die Leute gehen nur für dringende Besorgungen auf die Straße. Wenn der Wind richtig steht, liegt ein Schleier von verbranntem Erdöl über der Stadt. Der Ruß brennt in den Augen und man kann ihn schmecken. Die Irakis haben Kanäle vor der Stadt angelegt, mit Öl gefüllt und angezündet. Der Qualm soll die alliierte Satellitenaufklärung stören.

Trotz der massiven Luftangriffe auf irakische Kommunikationszentren sendet das Fernsehen weiter. Auch das Radio funktioniert noch. Wegen amerikanischer Störsender ist aber oft die Qualität schlecht, manchmal fällt das Bild aus. Auch mein Satellitentelefon war zeitweilig nicht erreichbar. Heute habe ich mich sehr über den Besuch eines Freundes von der Hilfsorganisation APN gefreut, zu dem ich seit Tagen keinen Kontakt hatte. Ich denke jetzt auch viel an meine Familie.

Was kommt nach Saddam?

Die Informationslage ist außerordentlich schwierig. Ich will mich nicht zum Sprachrohr einer Seite machen. Die Lage an der Front kann ich nicht einschätzen. Nach offiziellen irakischen Angaben wurde noch keine Stadt eingenommen; es gibt keine Aufstände. Das scheint zu stimmen.

Viele stellen sich jetzt die Frage: Was passiert, falls Saddam Hussein getötet wird? Ist dann der Krieg zu Ende? Das glaube ich nicht. Denkbar ist, dass einer seiner Söhne das Kommando übernimmt, oder einer von Saddams Stellvertretern. Jetzt warten alle auf die Bodenoffensive gegen Bagdad. Tarik Asis, der dritte Mann im Staat, hat die Bevölkerung aufgerufen, die Amerikaner mit Schüssen zu empfangen. An Partei-Mitglieder wurden Waffen für den Straßenkampf ausgegeben. Ob der dann kommt, steht auf einem anderen Blatt.

Zweifel an US-Bombenpolitik

Viele Leute warten ab. Die Saddam-Kritiker sind ruhiger geworden. Ich sehe die Tendenz, dass immer mehr die Amerikaner als Okkupanten betrachten. Wie sollen die Irakis die Alliierten als Befreier begrüßen, die Demokratie bringen, wenn viele Landsleute durch deren Bomben getötet oder verletzt werden? Trotzdem sind die Irakis im Allgemeinen ausländerfreundlich. Ich erlebe die »einfachen Leute« dankbar und bescheiden. Die »große Politik« spielt im Alltag kaum eine Rolle. Ich als Deutscher, aber auch die französischen Kollegen genießen natürlich eine gewisse Reputation wegen der Haltung unserer Länder.

Am schlimmsten leiden die Kinder

Gestern am späten Abend bin ich zum Marktplatz Al Nassar gefahren, an dem zuvor eine Explosion viele Menschen in den Tod gerissen hat. Der Schauplatz sah verheerend aus. Und doch stimmte etwas nicht. Es gab mehrere Indizien, die mich misstrauisch gemacht haben. Auf dem Basar gab es nur einen einzigen Krater, der zudem noch sehr klein war. Der konnte im Grunde nicht von einer Rakete stammen. Die hätte weit größere Löcher gerissen. Außerdem lassen Raketen in der gesamten Umgebung die Scheiben bersten. Doch auch davon war nichts zu sehen. Die meisten Scheiben waren ganz. All das hat mich veranlasst, noch in der Nacht ins Krankenhaus zu fahren, wo die Verletzten der Explosion hintransportiert worden waren.

Die Verletzten dort in der Klinik zu sehen, war einfach nur schlimm. Ich habe mindestens 30 Verwundete gesehen und bin noch misstrauischer geworden: Hätte eine Rakete den Markt getroffen, hätten die Verletzten Verbrennungen haben müssen. Davon aber war im Krankenhaus nichts zu sehen. Was ist wirklich auf dem Markt Al Nassar explodiert? Genaues kann ich dazu nicht sagen und will auch gar nicht spekulieren. Fakt ist, dass in dem Stadtteil überwiegend Schiiten leben. Der Bezirk ist insgesamt sehr arm. Ich wage es nicht, aus all dem Schlüsse zu ziehen. Aber klar ist, dass die Explosion den Hass auf die Invasionstruppen weiter geschürt hat.

Unglaubliche Leiden der Kinder

Gestern habe ich mit zwei westlichen Ärzten gesprochen, einem Psychologen und einer Kindertherapeutin. Sie sagten, vor allem den Kindern gehe es schlecht. Viele Kinder machen ins Bett vor lauter Angst oder bekommen Schreianfälle. Sie leiden unter Kopfschmerzen, Beklemmungen, Schwindel und Erbrechen. Die Zivilbevölkerung leidet ungeheuer. Und das macht die Menschen wütend, egal, ob sie Gegner oder Befürworter des Einmarschs sind.

Die Luftangriffe erfolgen nun Tag und Nacht. Auch das Gebäude des Informationsministeriums ist getroffen worden, hat aber nur leichten Schaden genommen. Trotzdem ist das einfach nur absurd. Die USA reden ständig von Pressefreiheit und dann bombardieren sie das Zentrum, in dem alle internationalen Journalisten sitzen. Es ist nicht zu fassen. Wir rennen manchmal wie die Hasen rum, um uns in Sicherheit zu bringen, wenn die Sirenen losgehen.

Ständig auf der Flucht

Wir sind immer auf der Flucht. So kann man einfach nicht arbeiten. Die Amerikaner behindern die Berichterstattung, wo es geht. Man kann nur hoffen, dass unser Hotel, das »Palästina«, nicht getroffen wird. Da wohnen die internationalen Journalisten. Ein Beispiel ist auch die teilweise Zerstörung des Telefonnetzes. Das alles ist ziemlich bezeichnend für die Politik der Amerikaner.

Den Stimmungswechsel spüren wir Journalisten auch untereinander. Ich hab ständigen Kontakt zu den Kollegen aus Frankreich und Russland, aber so gut wie keinen zu den amerikanischen oder britischen Berichterstattern. Die schotten sich irgendwie ab. Zumindest sind sie sehr vorsichtig. Nach dem Rauswurf der CNN-Reporter haben sie Angst, auch rausgeschmissen zu werden. Das alles macht die Atmosphäre ziemlich bedrückend und zugleich sehr, sehr seltsam.

Vor drei Tagen zum Beispiel saß unten im Hotel ein amerikanischer Kollege, der für Zeitungen schreibt. Er war stark betrunken, was ich nicht verstehen konnte. Er erzählte mir, dass sieben bewaffnete Männer ihn und seine Frau in ihrem Hotelzimmer überfallen hätten. Seine Frau sei entführt und er zusammengeschlagen worden. Das erzählte er mir in der Lobby. Aber das alles ist mehr als seltsam. Er sah überhaupt nicht so aus, als sei er zusammengeschlagen worden. Und überhaupt: Ich hab ihn gestern wieder gesehen und er arbeitet weiter, als sei nichts passiert. Hat er gelogen? Hat er Gerüchte gestreut? Oder wollte er sich einfach nur wichtig machen? Ich kann die Geschichte nicht einordnen. Ich weiß nicht, was ich hier glauben soll.

Wachsende Wut in der ganzen Stadt

Die Stimmung in der Stadt kippt. Das muss man ganz klar sagen. Bei den ständigen Luftangriffen fragen sich die Leute, was das noch mit Befreiung zu tun hat. Mittlerweile ist es auch ganz egal, ob es Sympathisanten der Amerikaner oder Gegner sind: Das Vertrauen sinkt rapide. Da kann man fast stündlich zuschauen. Die ständigen Luftangriffe sind kaum zu ertragen. Warum bleibe ich dann hier? Fünf Millionen Bagdadis bleiben in der Stadt. Ich bin hier, ich bleibe auch. Man muss darüber berichten, wenn die Wiege der menschlichen Hochkultur bombardiert wird. Hier wird ein völkerrechtswidriger Krieg geführt. Und ich versuche darüber – so sachlich es geht – zu berichten.

Zwischen Bomben, Druckwellen und Rußwolken

Ich bin umgezogen in die zehnte Etage meines Hotels. Von dort lässt sich die Stadt besser überblicken. Aber ich schlafe nicht mehr in dem eigentlichen Zimmer, sondern in einer Art Vorflur – wegen der möglichen Splitter, sollten die Scheiben bersten. Außerdem hört man die Angriffe dann nicht so stark. Die Geräusche machen mir nachts oft Angst. Manchmal fühle ich mich wie in einem schlechten, einem drittklassigen Film. Das alles hat so etwas Unwirkliches. Über der Stadt hängen dicke Rauchschwaden von den Ölgräben, die die Iraker angezündet haben. Das sind riesige Wolken. Vor dieser Kulisse fahre ich tagsüber durch die Stadt. Du fährst, und plötzlich erfasst eine Druckwelle von irgendeiner Explosion das Auto. Und kaum sind die Bombeneinschläge verhallt, geht das Leben in der Stadt weiter. Manchmal traue ich meinen Augen nicht. Es ist absurd.

Die große Lüge vom »sauberen« Krieg

Eine der großen Lügen des 3. Golfkrieges ist die von sauberen, »chirurgischen« Bombardierungen. Allein in Bagdad schlugen in zahlreichen Wohngebieten Raketen oder Marschflugkörper ein. Warum sie ihre Ziele verfehlten, ist nicht nachzuvollziehen. Die Annahme des Pentagons, man könne in der irakischen Hauptstadt nach Belieben militärische Ziele bombardieren, die teilweise in Wohngegenden lagen, ohne dass es zivile Opfer gibt, war schlichtweg nicht realistisch. Vielleicht wusste das Pentagon ja auch, dass es wegen der Bombardierungen zivile Opfer geben würde, und wollte nur die amerikanische Öffentlichkeit in dem Glauben lassen, der Krieg könne sauber geführt und gewonnen werden.

Ich kann und will gar nicht all die zivilen Orte nennen, die in Bagdad getroffen wurden, sondern mich lediglich auf ein paar Beispiele beschränken:

Wenige Tage vor dem Einrücken der US-Panzer nach Bagdad war bei einem schweren Luftangriff der Alliierten die irakische Geheimdienstzentrale im Stadtteil Al Mansor zerstört worden. Bombardiert wurde in der Tat die Zentrale, aber auch Teile des daneben liegenden Messegeländes. Ein Krankenhaus auf der anderen Straßenseite wurde ebenfalls verwüstet. Die Druckwelle war so stark, dass Fensterscheiben des Krankenhauses zersplitterten und Teile des Gebäudes einstürzten. Das Hospital war aber offensichtlich vorher evakuiert worden und stand leer. Irakische Angaben, wonach 27 Personen getötet worden sein sollten, konnte ich nicht bestätigen, als wir einen Tag später vor Ort eintrafen. Tote hatte ich keine gesehen, auch keine Blutspuren, Leichenteile oder Särge. Auch die Augenzeugen vor Ort, die wir interviewten, hatten keine Toten gesehen.

Das nächste Beispiel betrifft einen Vorfall im Bagdader Stadtteil Shaab. Dort hatte es zwei Explosionen gegeben. Auf einer belebten Straße waren zwei Raketen eingeschlagen, es gab mehrere Tote und Verletzte. Offenbar war ein irakischer Militärkonvoi auf der Straße gefahren. Ein Kollege, der gleich nach dem Angriff dort war, berichtete mir, dass er rund 500 Meter hinter der Einschlagstelle einen irakischen Raketentransporter gesehen hatte. Ihm galt wohl der Angriff. Doch die zwei Geschosse verfehlten ihr Ziel. Die Szenerie war grausam. Überall roch es nach verbranntem Fleisch. Leichenteile lagen verstreut auf der Strasse. Einige der Opfer waren in ihren Fahrzeugen verbrannt. Vom US-Zentralkommando in Doha wurde der Vorfall nicht näher kommentiert, man wolle das Geschehene erst noch genauer untersuchen, hieß es. Die Art und Weise, wie die zwei Raketen eingeschlagen waren, ließ den Schluss zu, dass sie von einem Kampfjet stammten. Die Krater waren flach, längsgerichtet und parallel zur Straßenmitte. Das Gelände rings um die zwei Einschläge war schwarz und teilweise verkohlt aufgrund des großen Feuerballs, den es laut Augenzeugen gegeben hatte.

Im schiitischen Stadtteil Shorle, auf einem belebten Marktplatz, gab es eine weitere alliierte Bombardierung. Zumindest behaupteten das die irakischen Behörden, die den Vorfall für eigenen Zwecke nutzten und die Invasoren beschuldigten, einen zerstörerischen Krieg gegen die irakische Zivilbevölkerung zu führen. Doch verschiedene Eindrücke vor Ort machten mich misstrauisch. Der Einschlagkrater war verhältnismäßig klein; von einer größeren Rakete oder einem Marschflugkörper konnte das meines Erachtens nicht stammen. Das sah vielmehr aus wie der Einschlag einer Artilleriegranate oder einer kleineren Rakete. Einen Feuerball hatte es scheinbar nicht gegeben.

Durch die Druckwelle waren ein paar Verkaufsstände einge-
stürzt. Es gab mehrere Tote. Die Verletzten besuchten wir im
Krankenhaus. Darunter waren Kinder. Es war schrecklich.
Einige der Kleinen hatten schwere Bauchwunden, eine Tragödie, die mir sehr nahe ging. Allerdings konnte ich niemand
mit Brandwunden entdecken. Das bestätigte mir meine These,
dass das Geschoss irakisch gewesen sein könnte. Möglicherweise eine Flugabwehrrakete, die ihr Ziel verfehlt hat und dann
auf dem Markt eingeschlagen war. Oder aber auch eine US-
Rakete, die von der irakischen Luftabwehr getroffen wurde,
daraufhin ihre Bahn veränderte und an einem falschen Ziel,
eben jenem Markt im Stadtteil Shorle, einschlug.

Im Zusammenhang mit zerstörten zivilen Zielen müssen
natürlich auch die Telekommunikationszentren in Bagdad
erwähnt werden. Die Invasionsstreitkräfte begründeten Bombardierungen dieser Einrichtungen immer damit, dass die
militärische Infrastruktur der irakischen Armee ausgeschaltet
werden müsse. Ob alle in Bagdad bombardierten Telekommunikationszentren zum Militär gehörten, wage ich zu bezwei-
feln. Dafür liegen von Amerikanern und Briten auch keine
konkreten, nachvollziehbaren Beweise vor. Zumindest sind sie
mir nicht bekannt.

In Bagdad war nach der Zerstörung der Kommunikationszentren auf jeden Fall das gesamte zivile Telefonnetz der Hauptstadt zusammengebrochen. Es war nicht mehr möglich zu
telefonieren, weder innerstädtisch noch nach außen. Für die
Stadt und ihre Bewohner war das eine Tragödie. Die Koor-
dination der ambulanten Notversorgung war eingeschränkt
beziehungsweise teilweise zum Erliegen gekommen. Verletzte
konnten nicht in Krankenhäuser gefahren werden, weil die
Hospitäler telefonisch nicht erreichbar waren. Viele Einwohner
Bagdads versuchten dann, ihre verletzten Angehörigen mit
privaten Fahrzeugen zur ambulanten Behandlung in die ohnehin überfüllten Krankenhäuser zu bringen.

Wegen des zusammengebrochenen Telefonnetzes in Bagdad war es auch nicht mehr möglich, die Feuerwehr über die zahlreichen Brände zu informieren. Besonders später, während der Plünderungen, nachdem die 3. US-Marineinfantriedivision in Bagdad eingerückt war und plötzlich ein mehrtägiges Sicherheitsvakuum entstand.

Was ich bis heute nicht verstanden habe, ist, warum einige Telefonzentralen in Bagdad mehrmals bombardiert worden sind. Ein Gebäude stand rund 1.000 Meter Luftlinie von unserem Hotel entfernt und wurde eines Morgens getroffen. Der technische Teil der Zentrale war zerstört, wie wir bei einer Besichtigung selbst sehen konnten. Zwei oder drei Tage später wurde das gleiche Gebäude noch einmal bombardiert. Keiner der Berichterstatter verstand den Grund. Das Telefonnetz in Bagdad war ohnehin zusammengebrochen. Vielleicht wollten die Alliierten sichergehen, dass die technischen Anlagen auch wirklich kaputt sind?

Bagdad, 30.03.03, 14.00 Uhr MESZ
(15.00 Uhr Ortszeit)
Ende des Anfangs oder
der Anfang vom Ende

Heute Morgen gegen fünf Uhr sind zwei Telekommunikationseinrichtungen getroffen worden. Das waren zwei große Telefonzentralen. Damit sind nun ganze Stadtteile ohne Telefon. Auch zwischen den Stadtteilen geht nichts mehr. Nur noch in einigen Gebieten Bagdads kann telefoniert werden. Diese Telefonzentralen waren offenbar zivile Einrichtungen. Sie hatten – zumindest aus meiner Sicht – nichts mit dem Militär zu tun.

Gemüse-Oase im Häusermeer

Die Stadt sieht teilweise aus wie eine Geisterstadt. Nach dem großen Sandsturm ist alles in ein dunkles Grau gehüllt. Auf einer Fahrt durch Bagdad fiel mir heute ein Gemüsestand auf. Das war wie eine Oase: Da lag Obst und Gemüse in allen möglichen Farben. Das war derart schön und vertraut, das leuchtete richtig. Das hat mich heute wohl am meisten beeindruckt. Und noch etwas: Nach elf Tagen hat heute zum ersten Mal wieder ein Kino geöffnet. Ich habe sogar Leute reingehen sehen. Die zeigen irgendwelche Liebesschnulzen. Man versucht eben, so gut es geht, die Tragödie zu verdrängen. Auch mir geht das so. Nur abends, wenn Ruhe einkehrt, wird mir der ganze Wahnsinn richtig klar. Und so geht mir eine Frage in den letzten Tagen immer wieder durch den Kopf: War das das Ende des Anfangs oder der Anfang vom Ende?

Das Märchen von den Luftschlägen

Inzwischen sind in der ganzen Stadt viele Häuser durch die Invasionsarmee zerstört worden, vor allem Regierungs- und öffentliche Gebäude. Aber in diesen Häusern war niemand, weder in den Palästen noch in den Behörden. Stattdessen arbeitet die irakische Regierung weiter. Jeden Tag tritt einer vor die Presse, mal ein Minister, mal ein hoher Beamter. Jeden Tag zeigt sich jemand. Daran sieht man ganz deutlich: Die Iraker haben sich auf den Krieg vorbereitet. Das Märchen, man könne mit ein paar Bomben diese Regierung ausschalten, ist eben ein Märchen. Darin sind sich mittlerweile auch alle Berichterstatter einig. Durch die Luftschläge entsteht in erster Linie Schaden an der Infrastruktur. Das System lässt sich damit nicht zerschlagen. Und auch für die Zukunft: Was die nächsten potenziellen Ziele für Luftangriffe auf Bagdad sein könnten, ist mir völlig unklar.

Hotelzimmer werden zu Büros

Auch am 11. Tag des Krieges ist die Lage weiter angespannt. Der Krieg hat sich in die Gesichter eingegraben, die Menschen haben Augenringe, wirken übermüdet. Und auch der Zorn wegen der Bombardierungen steigt. Wir Journalisten sind mittlerweile aus dem Informationsministerium in unser Hotel umgezogen. Das haben die Behörden auf Druck von meinen Kollegen und mir genehmigt. Dadurch haben wir jetzt unsere Büros in unseren Hotelzimmern und berichten bei Liveschalten vom Hotelvorplatz. Der heißt ironischerweise Paradiesplatz. Auf der gegenüberliegenden Seite steht die Moschee des 14. Juli. Häufig, auch wenn wieder massiv Bomben fallen, ertönt der Ruf des Muezzins. Zudem sind da Kinder, die sich mit Schuheputzen oder Betteln Geld verdienen wollen. Seit der Krieg läuft, sind ja die Schulen geschlossen.

Der Umzug ins Hotel hat auch unsere Berichterstattung erleichtert. Wir dürfen abends länger berichten und können unsere Satellitentelefone vom Zimmer aus nutzen. Das heißt natürlich nicht, dass wir nicht weiter überwacht werden. Aber wer sich an die Regeln hält, die geschriebenen wie die ungeschriebenen, kann relativ gut arbeiten.

Die unsichtbare Zensur

Der Mythos der allgegenwärtigen Zensur der Presseberichterstattung durch das irakische Informationsministerium war ein Mythos mit vielen Kratzern. Es stimmt, dass die Angstellten des Ministeriums mehr oder weniger versuchten, die Kontrolle über alle ausländischen Journalisten zu behalten. Aber das war oft nicht gelungen. Im Chaos der Kriegstage bröckelte die Kontrolle zusehens.

Für jeden Journalisten war ein so genannter »Minder« vorgesehen, ein Aufpasser, der immer und jeden Schritt des jeweiligen ausländischen Berichterstatters überwachen sollte. Bis zu Kriegsbeginn hat dieses System offenbar auch gut funktioniert. Nach dem 20. März war kein Aufpasser mehr während der Schaltgespräche anwesend, also konnte man als Berichterstatter im Rahmen der Kriegsbedingungen frei reden. Dazu kam, dass viele Aufpasser zwar einigermassen englisch, jedoch selten die Muttersprache des jeweiligen Korrespondeten sprachen. Ein Kollege aus Italien hatte zum Beispiel einen irakischen Aufpasser, der zwar Englisch sprach, aber kein Italienisch. Eine Kontrolle der Interviews oder Beiträge war demzufolge gar nicht möglich.

Am Eingang der Produktionsfirma, die für die Übertragung der Berichte zu den verschiedenen Fernsehstationen verantwortlich war, hing ein Schild mit der Aufschrift »Alle Kassetten müssen vor der Übertragung geprüft werden« (gemeint war damit die Sichtung des Fernsehmaterials durch Zensoren des irakischen Informationsministeriums). Der Hinweis war zwar da, aber ich habe niemanden gesehen, der sich jemals daran gehalten hat.

Rund 80 ausländische Journalisten waren während des Krieges in Bagdad geblieben. Es stimmt, dass das Informationsministerium und der irakische Geheimdienst alle Schritte der Berichterstatter beobachten ließen. Dabei gab es jedoch Unterschiede. Denn einige Korrespondenten standen in der Tat unter ständiger Kontrolle der Aufpasser, vor allem jene Kollegen von englischsprachigen Sendern. Andere wiederum hatten überhaupt keinen irakischen Aufpasser, der sie kontrollieren und überprüfen konnte, dazu zählte beispielsweise ich. Zwar war auch für mich jemand vom Geheimdienst mehr oder weniger zuständig, doch der Mann beobachtete offenbar auch zahlreiche andere Kollegen. Weder hat er mir etwas getan noch meine Arbeit eingeschränkt. Manchmal lud er mich zum Tee ein. Ich hatte sogar den Eindruck, dass der Agent verunsichert war. Unsere Gespräche beschränkten sich auf den Austausch von Höflichkeiten. Einen Tag vor dem Einmarsch der ersten US-Panzer am 9. April war er plötzlich verschwunden.

Zwei Personen arbeiteten für mich während des gesamten Krieges: ein Dolmetscher und ein Fahrer. Beide hatte ich selbst ausgesucht. Während der Bombardierungen durften wir Berichterstatter anfangs nur im Informationsministerium arbeiten. Dort stand die Technik, nur dort war es erlaubt, unsere Satellitentelefone zu benutzen. Wenn es dunkel wurde und die Bombardierungen unmittelbar bevorstanden, verließen alle Berichterstatter das Ministerium. Das Problem bestand darin, dass wir unsere Telefone zwar mit ins Hotel nehmen, aber dort nicht verwenden durften. Täglich kontrollierten Geheimdienstmitarbeiter unsere Zimmer im Hotel Palestine. Wer beim Telefonieren erwischt wurde, dessen Gerät wurde konfisziert und nicht mehr zurückgegeben. Das Gleiche galt für Kameras. Das Filmen von Bombardierungen war verboten. Wer sich nicht an diese Anweisung hielt, war seine Ausrüstung los.

Teilweise arbeiteten wir Berichterstatter in den ersten Kriegstagen im Hotel wie Geheimagenten. Die Zimmer stets abgedunkelt – denn telefonieren und arbeiten mußten wir, trotz Verbots –, immer unter Anspannung, denn jederzeit konnte eine Durchsuchung der Zimmer stattfinden.

Dieser Zustand hielt ein paar Tage an, änderte sich dann jedoch schlagartig am 30. März. Nachdem das Informationsministerium mehrmals von Raketen getroffen worden war, erhöhten wir Berichterstatter den Druck auf die irakischen Behörden, uns endlich die Arbeitsplätze ins Hotel verlegen zu lassen. Dem wurde überraschenderweise zugestimmt. Ende März durften wir von den Zimmern aus mit den eigenen Satellitengeräten telefonieren. Im Garten des Hotels standen die Übertragungsstationen für die Schaltgespräche. Die Arbeit wurde rein logistisch etwas einfacher für uns, denn wir mußten wenigstens nicht mehr ins Informationsministerium fahren, das ja ein Kriegsziel der alliierten Bomber war.

Nach und nach wurden verschiedene vom irakischen Informationsministerium erlassene Anweisungen aufgeweicht oder ganz außer Kraft gesetzt. Trotz Bombardierungen, trotz Stress und zeitweiliger Ungewissheit über den Ausgang des Krieges, war es in der irakischen Hauptstadt durchaus möglich, eine ordentliche Berichterstattung durchzuführen. Die Verantwortung dafür lag zum großen Teil bei jedem einzelnen Journalisten selbst. Wer sich an Vorgaben hielt – zum Beispiel keine Bilder von Verteidigungsstellungen in Bagdad zu drehen – und eigene Recherchen anstellte, konnte ein sehr interessantes, unabhängiges und vor allem unzensiertes Bild des Kriegsalltags zeichnen.

Unsere Bewegungsfreiheit vergrößerte sich sogar zunehmend. Anfangs mußte sich jeder, der das Hotel Palestine verlassen wollte, im Pressezentrum in der Lobby in einem Buch aus- und bei Rückkehr wieder eintragen. Das ging in der Regel völlig problemlos. Zumindest für mich gab es nie irgendwelche

Probleme. Wenn wir einkaufen fuhren oder zum Mittagessen in eines der wenigen Restaurants gingen, die in den Kriegstagen geöffnet hatten, meldeten wir das niemandem. Es fragte auch keiner nach. Später war das An- und Abmeldesystem völlig weggefallen und jeder konnte – natürlich auf eigenes Risiko – durch Bagdad fahren und recherchieren.

Prinzipiell hatte ich immer den Eindruck, dass die Mehrheit der Kollegen großen Wert darauf legten und Anstrengungen unternahmen, sich von der irakischen Propanganda und der Zensur nicht vereinnahmen zu lassen.

Am Geld aber kam keiner der ausländischen Berichterstatter vorbei, genauer gesagt an den Gebühren, die das irakische Informationsministerium für unseren Aufenthalt verlangte. Jeder Journalist mußte sich akkreditieren lassen und erhielt einen Presseausweis. Das bedeutete pro Tag und Journalist 100 US-Dollar an Gebühren. Für das Benutzen des eigenen Satellitentelefons mußten täglich 120 US-Dollar bezahlt werden. Kamerateams kosteten 500 US-Dollar pro Tag. Dazu kam die Büromiete im Informationsministerium, die entfiel, als alle ihre Arbeitsplätze ins Hotel Palestine verlegten.

Der Irak ist nach meinem Kenntnisstand das einzige Land der Welt, das Journalisten derart abkassiert hat. Nirgendwo anders habe ich als Reporter dafür bezahlen müssen, dass ich vor Ort bin und mein eigenes Telefon benutze.

Die Tatsache, dass wir alle abkassiert wurden, hat uns Berichterstatter verärgert. Ein englischsprachiger Kollege erzählte mir, dass er wenige Tage vor dem Einrücken der US-Armee noch 31.000 US-Dollar an das irakische Informationsministerium zahlen mußte.

Die Arbeit mit den ausländischen Berichterstattern war ein Millionengeschäft. Wo all diese Gelder geblieben sind, das bleibt im Dunkeln. Teilweise wurden nicht einmal Quittungen ausgestellt. Wahrscheinlich haben sich hochrangige Mitarbeiter des Ministeriums mit den Dollars abgesetzt. Eine andere Erklärung habe ich nicht, denn das irakische Informationsministerium hörte wenige Tage vor dem Einmarsch der Invasionstruppen auf zu arbeiten.

Oft war es schwierig, die in Bagdad erlebte Wirklichkeit in den Schaltgesprächen nach Deutschland zu übermitteln, weil dort offenbar ein ganz anderes Bild vorherrschte. Ein Beispiel: Regelmäßig wurde ich in Interviews gefragt, ob es stimme, dass tausende Flüchtlinge Bagdad verließen. Das konnte ich einfach nicht bestätigen. Oft war ich in den Morgenstunden auf der Suche nach Flüchtlingsströmen durch zahlreiche Stadtteile Bagdads gefahren. Aber es gab keine. Jedenfalls habe ich sie nicht gesehen. Ab und zu waren Autos oder Transporter mit Menschen zu sehen, die Bagdad verlassen wollten. Aber Flüchtlingskonvois im klassischen Sinne, wie sie vom Balkan oder aus Afghanistan von Fernsehbildern bekannt sind, gab es nicht. Tausende Bagdadis waren geflohen, das stimmt. Aber lange schon vor Beginn des Krieges, meistens zu Verwandten auf dem Land.

Wie inzwischen bekannt ist, war die Flüchtlingstheorie ohnehin nicht aufgegangen. Im Niemandsland zwischen dem Irak und Jordanien hatten sich Hilfsorganisationen auf die Ankunft zehntausender Flüchtlinge vorbereitet. Doch außer ein paar sudanesischen Gastarbeitern, die den Irak verlassen wollten, waren weit und breit keine Flüchtlinge zu sehen. Als ich am 17. April die Grenze nach Jordanien passierte, waren die Zelte teilweise wieder abgebaut worden.

Wie gefährlich unsere Arbeit mitunter war, verdeutlichte mir eine Begebenheit in den ersten Apriltagen. US-Panzer waren angeblich südwestlich an Bagdad vorbei zum Flughafen vorgerückt. Es hatte erbitterte Kämpfe gegeben. Das konnten wir vom Stadtzentrum aus hören. Einen Tag später fuhren wir hin. Das Informationsministerium gestattete uns, mit unseren eigenen Fahrzeugen zu fahren (für gewöhnlich wurden Bustouren organisiert).

Uns bot sich ein grausames Bild. Das Schlachtfeld erstreckte sich rings um ein Autobahnkreuz. Dutzende irakischer Fahrzeuge waren durch die alliierten Flugzeuge vernichtet worden. Brandgeruch lag in der Luft. Zahlreiche Autos waren völlig ausgebrannt. Ein irakischer Soldat berichtete uns, dass es viele Verluste gegeben hatte. Aber die Irakis hatten die Kreuzung wohl verteidigt, so gut es eben ging. Ein abgeschossener US-Panzer wurde uns präsentiert. Vier sollen es insgesamt gewesen sein, ich sah jedoch nur einen. Wir waren vielleicht fünf Minuten auf dem Schlachtfeld, da kam mir plötzlich der erschreckende Gedanke: Wir waren unmittelbar an der Front.

Plötzlich schossen amerikanische Kampfjets über unsere Köpfe hinweg und bombardierten Ziele, die in unmittelbarer Nähe lagen. Das Pfeifen der angreifenden Maschinen werde ich nie vergessen. Mein Herz blieb stehen. Rings um das Autobahnkreuz, an dem wir uns aufhielten, standen noch intakte irakische Militärfahrzeuge und überall waren irakische Soldaten. Die Gewissheit lähmte mich fast: Wir waren nicht nur an der Front, wir mussten jede Sekunde damit rechnen, selbst bombardiert zu werden. Ich konnte nicht davon ausgehen, dass die Invasionstruppen wussten, dass sich auf dem Gefechtsfeld gerade Dutzende ausländische Journalisten befanden. Nachdem die ersten Kampfjets über unsere Köpfe gedonnert waren, brach Panik aus. Ich schrie verzweifelt nach meinem Fahrer und dem Dolmetscher, der verschiedene Angaben über die Schlacht vom Vortag eingeholt hatte. Es war der reinste Horror. Ich war schweißgebadet und spürte, an diesem Ort waren alle in höchster Lebensgefahr. Fluchtartig verließen wir die Szenerie gemeinsam mit zwei anderen Kollegen.

Eine Erkenntnis jedoch brachte der gefährliche Abstecher an die Front: Die Invasionstruppen konnten sich offenbar nur mit großer Mühe und unter dem Schutz ihrer Luftwaffe durch den Irak bewegen. Oft habe ich mir während des Krieges die Frage gestellt, was die Alliierten ohne ihre Flugzeuge gemacht hätten. Möglicherweise wären die Kämpfe nicht schon nach drei Wochen beendet gewesen oder der Konflikt hätte sogar eine unerwartete Wendung genommen, die niemand vorher einkalkuliert hatte.

Bagdad, 31.03.03, 17.00 Uhr MESZ
(18.00 Uhr Ortszeit)
Was ist eigentlich Demokratisierung?

Die vergangene Nacht war schrecklich. Es war inzwischen die zwölfte Bombennacht, und die Amerikaner haben die merkwürdige Angewohnheit, mit den heftigsten Angriffswellen zwischen 2 und 3 Uhr zu beginnen. Das ist genau in der Tiefschlafphase. Man muss sich das vorstellen: Plötzlich gibt es einen mordsmäßigen Knall, der einen im Bett senkrecht stehen lässt. Das Herz rast wie verrückt, so schnell, dass der Brustkorb schmerzt. So ist es mir in der letzten Nacht mehrfach gegangen und ich muss sagen, meine Nerven liegen inzwischen blank. Andererseits denke ich mir: Es gibt fünf Millionen Menschen in der Stadt, darunter viele kleine Kinder, die nicht einmal eine Vorstellung davon haben, was Krieg eigentlich bedeutet. Und sie müssen das auch aushalten.

Rituale beruhigen die Nerven

Nach dem Aufstehen gehe ich immer zuerst zum Fenster. Heute Morgen habe ich vor allem Rauchschwaden gesehen, teilweise über ausgebombten Gebäuden, teilweise auch von den brennenden Ölgräben vor der Stadt, mit denen die Regierung die Satellitenaufklärung der Invasionstruppen stören will. Auf das Frühstück habe ich verzichtet. Aus Zeitgründen reicht es meist nur für eine Mahlzeit am Tag. Dafür nehmen wir, mein irakischer Dolmetscher, mein Fahrer und ich, uns mittags ein paar

70

Minuten frei. In dieser Zeit fahren wir mit dem Auto in ein kleines Restaurant, in dem es, zumindest für Kriegsverhältnisse, richtig gutes Essen gibt: Reis, Tomatensuppe und frisches Obst. Zum Abschluss trinken wir immer gemeinsam einen Tee. Vor allem im Krieg braucht der Mensch seine Rituale, das ist gut für die Seele.

Das Leben geht ganz normal weiter

Manchmal gibt es Luftalarm, wenn wir gerade beim Essen sind. Daran haben wir uns inzwischen gewöhnt und bleiben einfach sitzen. So machen es auch viele Iraker. Es ist ein Ammenmärchen, dass Leute wie wild durcheinander rennen und einen Luftschutzkeller suchen. Bunkeranlagen für das Volk existieren in Bagdad nicht; auch unser Hotel hat keinen Schutzraum. Trotz der vielen Bomben geht das Leben ganz normal weiter. Es gibt Nahrungsmittel, Wasser und Strom. Nur eines gibt es inzwischen fast nicht mehr: Telefonverbindungen. Was die Amerikaner hier gemacht haben, halte ich für ein Kriegsverbrechen: Weil ein Großteil der Telekommunikationsanlagen zerstört ist, können Verletzte keinen Arzt anrufen, keine Verwandten anrufen, keine Feuerwehr anrufen. Die Konsequenzen der Explosionen beschränken sich nicht auf Regierungsgebäude.

Misstrauen schürt den Patriotismus

In den letzten Wochen habe ich viele irakische Freunde gefunden. Man trifft sich auf den Straßen und in den Restaurants. Der Krieg ist natürlich das Gesprächsthema Nummer eins. Viele wissen, dass ich aus einem demokratischen Land komme, und sie fragen mich, ob das, was sich gegenwärtig im Irak

71

abspielt, Demokratisierung ist. Ich kann dann nur mit dem Kopf schütteln. Die Iraker sind intelligente Menschen und viele glauben, dass es den Briten und Amerikanern hauptsächlich ums Erdöl geht. Denn – so sagen sie – wer unser Land dreizehn Tage bombardiert, will es nicht befreien. Aus diesem Grund ist der Patriotismus so stark hierzulande und stellt persönliche Interessen in den Schatten.

Raketen im Tiefflug über den Kopf

Eine Sache möchte ich noch loswerden: Offenbar wundern sich viele Zuschauer in Deutschland darüber, warum ich mich während meiner Fernsehinterviews immer umschaue. Es ist Krieg! Gestern beispielsweise zischte etwa 150 Meter über mir ein Marschflugkörper vorbei und schlug auf der anderen Seite des Tigris ein. Da wird einem schon ein wenig anders. Und notfalls muss man schnell wie ein Hase sein.

Gerade fliegt wieder ein B-52-Bomber über die Stadt. Das ist nicht zu überhören. Die Iraker geben sofort Alarm. Jetzt sind auch wieder die Gesänge aus der Moschee zu hören, die genau gegenüber von meinem Hotel liegt. Der Muezzin stimmt zum Gebet an. Das ist bei jedem Angriff so. Ich möchte gar nicht an die kommende Nacht denken. Wahrscheinlich lassen uns die Raketeneinschläge wieder nicht zur Ruhe kommen. Manchmal frage ich mich, was sich die Alliierten bei ihren Angriffen denken. Sie bombardieren ein und dieselben Einrichtungen gleich an mehreren Tagen hintereinander. Zum Beispiel die Telefonanlagen. Ist es nicht schlimm genug, dass die Bagdadis keinen Arzt oder ihre Verwandten mehr anrufen können? Dass die Telekommunikationsanlagen mehrfach getroffen wurden, kann doch kein Zufall sein und schon gar kein Versehen. Und was bezwecken Amerikaner und Briten, wenn sie ständig Bomben in die Gebäude der Ministerien lenken? Dort arbeitet schon lange niemand mehr. Es ist wohl blinde Zerstörungswut.

Alliierte sind jung und wirken nervös

Ein US-Soldat hat in einem Interview mit einem Kollegen von mir gesagt, die Irakis seien eine Krankheit und die Amerikaner

73

die nötige Chemotherapie. Er beginne, das Land, in das seine Truppen einmarschiert sind, zu hassen. Das ist für mich unfassbar. Die US-Streitkräfte fallen hier ein und erwarten, dass sie mit offenen Armen empfangen werden. Ich glaube, viele von den jungen GIs wussten gar nicht, was sie erwartet, als sie an den Golf geschickt wurden. Die heftige Gegenwehr der Iraker und die Malheure in den eigenen Reihen machen den meist jungen Soldaten wahrscheinlich Angst und sie werden nervös. Anders kann ich mir solche Vorfälle wie in Nadschaf fast nicht erklären. Dass Amerikaner sieben Frauen und Kinder töten, weil ihr Bus nicht anhält, ist erschreckend. Die Nachricht ist bereits gestern von unseren Kollegen, die mit den alliierten Truppen unterwegs sind, bis nach Bagdad gedrungen. Die Journalisten in der Hauptstadt sind bestürzt. Obwohl wir die näheren Umstände nicht kennen, macht sich doch eine zunehmende Skepsis gegenüber der so genannten Koalition der Willigen breit. Sie sind Invasoren und verhalten sich völkerrechtswidrig.

Iraker sprechen in Bildern

Die Alliierten messen mit zweierlei Maß. Das wird mir immer deutlicher bewusst. Wenn es ihnen passt, rufen sie die Iraker auf, sich an bestimmte Völkerrechtskonventionen zu halten. Für sie selbst scheint das aber nicht zu gelten. Die Amerikaner und Briten begehen hier Kriegsverbrechen, nur scheinen sie das nicht wahrhaben zu wollen. Die Iraker verteidigen sich. Das ist doch nur natürlich. Dabei spielt auch die Propaganda eine sehr große Rolle. Die Iraker sprechen in Bildern. Wenn sie Selbstmordattentate ankündigen, erzeugen sie damit Druck beim Gegner. Übersetzt heißt das, die Bevölkerung steht hinter Hussein und wird ihr Vaterland verteidigen. Die Iraker vertrauen auf Allah. Den mächtigen Sandsturm der letzten Woche deuten sie als Zeichen. Der Himmel war richtig rot. Sie sehen das als Botschaft, dass der Krieg falsch ist und beendet werden soll. Den letzten Sandsturm dieser Art gab es 1964.

Kaum Informationen von irakischer Führung

Diese Mentalität, die Dinge in Bilder zu kleiden, ist hier sehr verbreitet und begegnet uns Journalisten auf jeder Pressekonferenz der Iraker. Das Problem ist, dass sie uns kaum mit Informationen versorgen, keine Fotos oder Aufnahmen zeigen. Viele Dinge erfahren auch wir erst abends aus den Nachrichten. Damit tut sich die irakische Führung keinen Gefallen, aber wir müssen damit leben. Das bedeutet für mich, dass ich mir selbst ein Bild mache, zumindest in Bagdad. Die Menschen hier sind immer noch offen gegenüber uns Ausländern. Aber sie sind unsicher, was auf sie zukommt. Dabei geht es nicht nur um die unmittelbare Zukunft. Viele haben Angst, dass die Amerikaner wieder mit Uran angereicherte Raketen abfeuern, genau wie im ersten Golfkrieg. Ob dem wirklich so ist, wird wahrscheinlich erst in ein paar Jahren ersichtlich. Doch die Sorge ist jetzt schon groß.

Geheimverhandlungen in
Bagdad und Bonn

Der 3. Golfkrieg war kein losgelöstes Einzelereignis. Im Gegenteil. Die Ursachen für den Krieg, der am 20. März 2003 begann, reichen weit zurück und sind so komplex, dass dieses Buch nicht ausreichen würde, alles aufzuklären – zumal wichtige Dokumente verschwunden sind oder unter Verschluß gehalten werden.

Interessant erscheint die Frage, wie es möglich war, dass Saddam Hussein vom Lieblingsverbündeten der USA während der achtziger Jahre innerhalb weniger Monate zum Feind Nummer eins für Washington werden konnte. Der Wandel vollzog sich offenbar 1990. Danach betrieb Washington mit großer Energie die Dämonisierung des irakischen Diktators auf der internationalen politischen Bühne.

Bei der Interpretation der Geheimverhandlungen kann es zu unterschiedlichsten Auslegungen kommen. Dennoch fügt sich allmählich ein Puzzle zusammen. Es ist vor allem wichtig, ideologische und politische Scheuklappen abzuwerfen, um offen zu sein für eine aufregende Wirklichkeit:

24. Dezember 1990. Im Bonner Privathaus von Bundesaußenminister Hans-Dietrich Genscher wird möglicherweise gerade über Krieg und Frieden entschieden. Am Persischen Golf haben die Koalitionsstreitkräfte unter der Führung der Vereinigten Staaten von Amerika ein gigantisches Heer zusammengezogen. Das wahrscheinlich größte Heer der jüngsten Militärgeschichte. Die Koalitionsarmee soll die irakischen Streitkräfte aus

Kuwait vertreiben, die dort am 2. August 1990 einmaschiert waren.

In Genschers Arbeitszimmer herrscht eine eigenartige, bedrückende Stimmung. Der Deutsche hat zwei hochrangige Gäste. Den irakischen Botschafter in Deutschland, Abdul-Jabbar Omar Ghani, und Botschaftsrat Malik Radif Al-Ubaidi. Das Zimmer ist nicht weihnachtlich dekoriert. Mitten im Raum stehen eine Couch sowie zwei Sessel. Den Boden bedeckt ein persischer Teppich. Die Irakis trinken Tee. Sie wollen eine mündliche Nachricht von Präsident Saddam Hussein überbringen. Die Informationen sollen über Genscher per Telefon an seinen amerikanischen Amtskollegen James Baker nach Washington weitergeleitet werden. Es handelt sich um ein Verhandlungsangebot des irakischen Diktators an die US-Regierung. Das Angebot umfaßt folgende Punkte:

1. Saddam Hussein ist bereit, das Kuwait-Problem friedlich zu lösen, das heißt, der Diktator will sich nach eigenen Angaben wieder aus dem Nachbarland zurückzuziehen.

2. Gleichzeitig sollen sich die israelischen Truppen aus den besetzen Palästinensergebieten zurückziehen.

3. Syrien solle seine Truppen aus dem Südlibanon abziehen und damit aufhören, Israel zu bedrohen.

Nach wenigen Minuten hat der irakische Botschafter die Nachricht an Genscher übergeben. Der Bundesaußenminister geht zum Telefon, hebt den Hörer ab und wählt eine Nummer in Washington. Alles spielt sich vor den Augen der zwei Irakis ab. Am anderen Ende geht James Baker ans Telefon. Genscher übermittelt das Verhandlungsangebot von Saddam Hussein. Die telefonische Unterredung ist nur kurz. Baker lehnt Saddams Angebot ab. Genscher legt den Hörer auf und teilt seinen beiden Gästen das Ergebnis des Telefonats mit.

Die Szene im Arbeitszimmer vom Hans-Dietrich Genscher dauerte nicht länger als 30 Minuten. Die Unterredung, die in sachlicher Atmosphäre verlief, war kurzfristig und auf Wunsch der irakischen Seite zustande gekommen. Genscher und seinen zwei Gästen war klar: Es würde nun definitiv zum Krieg kommen.

(Über die Begebenheiten in Bonn am 24. Dezember 1990 berichtete mir Malik Radif Al-Ubaidi, der zu diesem Zeitpunkt Botschaftsrat an der irakischen Botschaft in Bonn war. Beim damaligen Bundesaußenministers Hans-Dietrich Genscher habe ich angefragt, ob er sich zu den Vorgängen am 24. Dezember 1990 äußern würde. Bis zur Drucklegung dieses Buches machte er keine Auskünfte.)

Zwischen der Invasion der irakischen Armee in Kuwait am 2. August 1990 und dem Beginn des Golfkrieges am 17. Januar 1991 gab es nach meinen Recherchen offenbar mehrere Versuche des irakischen Diktators, über diplomatische Geheimkanäle mit der US-Administration in Kontakt zu treten und Verhandlungen aufzunehmen. Meistens liefen die Kontaktaufnahmen über Deutschland. In der Regel war es offenbar so, dass der irakische Botschafter in Deutschland nach Bagdad flog, dort von Saddam Hussein die Nachricht mündlich in Empfang nahm, dann wieder nach Bonn zurückkehrte und versuchte, der amerikanischen Seite über diverse Kanäle die Informationen zu übermitteln.

Es ist mir nicht bekannt, ob Washington die irakischen Verhandlungsangebote jemals in Erwägung gezogen hat. Tatsache ist wohl auch, dass Saddam Hussein nach der Invasion seiner Streitkräfte in Kuwait nicht mehr in irgendeiner Verhandlungsposition war. Verständlicherweise. Doch das mehrfache Bemühen des irakischen Diktators um Kontakt zu Washington ist höchst interessant. Es stellt sich die Frage, warum Saddam Hussein, der völkerrechtswidrig in Kuwait einmarschiert war, Kontakt zu Washington suchte.

Nach Angaben der Nachrichtenagentur AFP vom 6. Januar 1991 kam es während der Feiertage 1990 zu mehreren Geheimtreffen und Telefonaten zwischen Hans-Dietrich Genscher und arabischen sowie westlichen Politikern. Viermal soll der irakische Botschafter bei Genscher gewesen sein. Ziel war trotz der Meinungsverschiedenheiten die Organisation eines amerikanisch-irakischen Außenministertreffens. Es wurde offenbar ein Plan entworfen, um die Kuwait-Krise friedlich zu lösen. Es sollte über Garantien verhandelt werden, die vorsahen, dass die multinationalen Streitkräfte den Irak nach seinem Rückzug aus Kuwait nicht angreifen würden, dass in Kuwait eine frei gewählte Regierung die Amtsgeschäfte übernehmen soll und dass neue Sicherheitsstrukturen für die Golfregion erarbeitet werden, einschließlich der Erörterung der Palästinenserfrage. Am 9. Januar 1991 fand in Genf das amerikanisch-irakische Außenministertreffen doch noch statt, das offenbar auch unter intensiver Vermittlungshilfe von Hans-Dietrich Genscher zustande gekommen war. Die Verhandlungen zwischen James Baker und Tarik Asis scheiterten nach sechs Stunden. Die Amerikaner warfen den Irakis vor, wenig Flexibilität zu zeigen, die Irakis den Amerikanern, zu großen Druck auszuüben.

Den letzten offiziellen diplomatischen Kontakt zwischen dem Irak den USA gab es am 25. Juli 1990. Die irakischen Streitkräfte waren bereits an der Grenze des Emirats Kuwait aufmarschiert. Alles deutete auf eine unmittelbar bevorstehende Invasion hin. Iraks Präsident Hussein hatte die US-Botschafterin April Glaspie in seinen Palast einbestellt. Filmaufnahmen dieses, wie sich später herausstellte, höchst merkwürdigen Treffens existieren noch heute. Der genaue Inhalt und Umfang des Gesprächs ist bis heute nicht wirklich bekannt. Doch es gibt eine Mitschrift. Die Formulierungen sind teilweise sehr umständlich.

Folgendes soll zwischen Saddam Hussein und April Glaspie gesagt worden sein:

Glaspie: Ich habe direkte Anweisungen von Präsident Bush (senior), unsere Beziehungen mit dem Irak zu verbessern. Wir haben große Sympathie für Ihr Verlangen nach höheren Ölpreisen, der direkte Grund für Ihre Konfrontation mit Kuwait. Sie wissen, dass ich hier lange Jahre gelebt habe, und ich verehre Ihre außergewöhnlichen Bemühungen, das Land wieder aufzubauen. Wir wissen, dass Sie Gelder brauchen. Wir verstehen das. Und unsere Meinung ist, dass Sie die Möglichkeiten haben sollten, Ihr Land wieder aufzubauen. (Kurze Pause) Wir sehen, dass Sie Truppen massiv aufmarschieren ließen im Süden. Normalerweise geht uns das nichts an, aber wenn diese Dinge passieren im Zusammenhang mit Ihrer Bedrohung gegen Kuwait, dann würde es einfach nur verständlich sein, wenn wir besorgt sind. Aus dem Grund habe ich Anweisungen erhalten, Sie zu fragen, welche Absichten Sie haben: Warum haben Sie massive Truppenverbände zusammengezogen so dicht an der kuwaitischen Grenze?

Saddam Hussein: Wie Sie wissen, habe ich seit Jahren versucht, eine Lösung zu finden in unserem Disput mit Kuwait. Wenn wir (Irakis) uns treffen (mit Kuwaitis) und wir sehen, dass es Hoffnung gibt, dann wird nichts passieren. Aber wenn wir nicht in der Lage sind, eine Lösung zu finden, dann wird es selbstverständlich sein, dass der Irak nicht den Tod akzeptiert.

Glaspie: Welche Lösungen würden akzeptabel sein?

Saddam Hussein: Wenn wir den gesamten Shatt al Arab erhalten könnten – unser strategisches Ziel im Krieg mit Iran –, dann werden wir Zugeständnisse machen (zu Kuwait). Wenn wir aber gezwungen werden zu wählen zwischen der Hälfte des Shatt und dem ganzen Irak (nach Ansicht Saddam Husseins gehörte Kuwait zum Irak), dann werden wir den Shatt aufgeben, um unsere Ansprüche auf Kuwait zu verteidigen, um den ganzen Irak in der Form zu haben, wie wir es wünschen. (Pause) Was denken die Vereinigten Staaten darüber?

Glaspie: Wir haben keine Meinung zu Ihrem arabisch-arabischen Konflikt, wie der mit Kuwait. Außenminister Baker hat mich angewiesen zu unterstreichen, dass die Kuwait-Sache nichts zu tun hat mit Amerika. (Saddam Hussein soll gelächelt haben.)

Was entnehmen wir diesem Gespräch? Die Konversation war offenbar der Ausgangspunkt für den Golfkrieg 1991 und legte die Grundlage für die politischen Entwicklungen im Mittleren Osten hin bis zum Krieg 2003.

Saddam Hussein hatte mit dem Iran unter anderem um das wichtige Mündungsgebiet des Zusammenflusses von Euphrat und Tigris im Persischen Golf gekämpft, den Shatt Al Arab. Nach einem Waffenstillstandsabkommen hatte er nicht den ganzen Shatt unter seine Kontrolle bekommen können. Der Zugang zum Golf war jedoch strategisch wichtig für den Irak. Nun wollte der irakische Diktator von den USA offenbar grünes Licht für einen kurzen und begrenzten Eroberungskrieg gegen Kuwait, der den Irak gewissermaßen entschädigen sollte für seine Verlust im Iran-Konflikt. Nördliche Teile Kuwaits sollten ihm helfen, zwei strategische Ziele zu erreichen: 1. freier Zugang zum Persischen Golf. 2. Kontrolle des umstrittenen Al-Rumeila-Ölfelds im Grenzgebiet zwischen Kuwait und Irak, das Kuwait 1990 offenbar durch Schrägbohrungen angezapft hatte.

Die Äußerung der US-Botschafterin April Glaspie, die USA habe keine Meinung zu diesem Konflikt, interpretierte Regimechef Saddam Hussein offenbar als Einwilligung der USA, als das grüne Licht.

Am 2. August 1990 marschierten irakische Truppen in Kuwait ein und besetzten das Emirat. Einen Monat später, am 2. September, sollen zwei britische Journalisten in den Besitz eines Mitschnitts und der Transkription vom Gespräch zwischen Saddam Hussein und US-Botschafterin April Glaspie gelangt sein. Als Glaspie die US-Botschaft in Bagdad verließ, haben die beiden Reporter die Diplomatin mit dem Inhalt konfrontiert:

Frage: Sind die Transkriptionen hier korrekt, Frau Botschafterin?
    Glaspie antwortet nicht.

Frage: Sie wussten, dass Saddam in Kuwait einmarschieren würde, aber Sie haben ihn nicht gewarnt, es nicht zu tun. Sie haben ihm nicht erzählt, dass Amerika Kuwait verteidigen würde. Sie haben ihm das Gegenteil erzählt, dass Amerika nichts mit Kuwait zu tun hat.
    Glaspie antwortet nicht.

Frage: Sie haben diese Aggression ermutigt, seine Invasion. Was haben Sie dabei gedacht?
Glaspie: Offensichtlich dachte ich nicht, und auch kein anderer, dass die Irakis ganz Kuwait nehmen würden.

Frage: Amerika hat das grüne Licht gegeben für die Invasion. Sie haben Saddam mindestens zu verstehen gegeben, dass eine Aggression o.k. ist ...
    Glaspie sagt nichts mehr, steigt in ihr Auto und fährt davon.

Bringen wir noch einmal die Geschehnisse 1990 auf den Punkt: Saddam Hussein bekam von den USA offenbar grünes Licht für eine Invasion der nördlichen Teile Kuwaits. Der irakische Diktator besetzte jedoch das ganze Emirat. Die Amerikaner erkannten schnell, dass sich Saddam Hussein nicht an das geheime Abkommen gehalten hatte, und organisierten den

82

Gegenangriff. Iraks Machthaber sah Ende 1990 ein, dass er zu weit gegangen und es ein Fehler war, das ganze Emirat zu besetzen; er wollte das Gesicht wahren und sich wieder aus Kuwait zurückziehen und versuchte unter anderem über deutsche diplomatische Kanäle, Verhandlungen mit den Amerikanern zu organisieren. Das misslang jedoch. Das Blatt wendete sich gegen Saddam Hussein. Ihm war offenbar bis zuletzt nicht klar, dass der ehemalige Verbündete USA sich gegen ihn wenden und angreifen würde.

Den Rest der Geschichte kennt jeder. Der Golfkrieg kam. Die irakischen Truppen wurden mit einer internationalen Übermacht aus Kuwait vertrieben.

Aber das Thema Kuwait-Krieg und die Rolle der USA war für die Regierung Bush senior damit nicht vom Tisch. 1992 veranstaltete der amerikanische Sender NBC ein Fernsehduell der drei Präsidentschaftskandidaten Ross Perot, George Bush senior und Bill Clinton. Zum Thema Irak entspann sich das folgende interessante Gespräch. Ross Perot, der bekannt war für provokante Fragen, gab den Anstoß:

Ross Perot: Ich möchte hier einen kurzen Kommentar abgeben im Zusammenhang mit Saddam Hussein. Wir haben ihm erzählt, wir würden nicht verwickelt sein in seinen Grenzkonflikt. Wir haben niemals jene Unterlagen veröffentlicht, die Botschafterin Glaspie erhalten hatte am 25. Juli. Ich schlage vor, im Sinne dass wir Verantwortung übernehmen für unser Handeln, wir legen diese Unterlagen auf den Tisch. Sie sind nicht das Geheimnis der Atombombe.

Zweitens, wir waren traurig, als er das ganze Ding (Kuwait) eingenommen hat, aber der einfache Amerikaner weiß, wo die Ölfelder sind in Kuwait. Sie sind in der Nähe der Grenze. Wir sagten ihm, er könnte den nördlichen Teil Kuwaits nehmen, und als er das ganze Land nahm, sind wir verrückt geworden ...

George Bush: Ich muß darauf antworten. Das reicht an die nationale Ehre. Wir haben nicht zu Saddam Hussein gesagt, dass er den nördlichen Teil Kuwaits nehmen darf.

Ross Perot: Nun, wo sind die Unterlagen?

George Bush: Das ist absolut absurd.

Ross Perot: Wo sind die Unterlagen? Sprechen Sie mit jedem Vorsitzenden in den wichtigen Komitees im Senat. Die werden niemanden die schriftlichen Anweisungen sehen lassen, die Botschafterin Glaspie erhalten hatte. Und ich schlage vor, dass in einer freien Gesellschaft, die den Menschen gehört, die Amerikaner wissen sollten, was wir Botschafterin Glaspie gesagt haben, was sie Saddam Hussein sagen soll, weil wir viel Geld ausgegeben haben und Leben riskiert und Leben verloren … und viele unserer Ziele nicht erreicht. Er (Saddam Hussein) ist immer noch dort, stimmts? Ich würde gerne diese schritftlichen Anweisungen sehen.

Georg Bush darf in diesem Moment nicht antworten, weil die Regeln das nicht zulassen. Perot bekommt eine Frage, spricht jedoch erneut zum Thema Irak.

Ross Perot: Noch einmal zurück zu Saddam Hussein. Wir gaben Botschafterin Glaspie schriftliche Anweisungen. Das ist ein Fakt. Wie lauteten ihre schriftlichen Ausweisungen?

An dieser Stelle verlassen wir das Fernsehduell. Der interessante Sachverhalt scheint zu sein, was in den schriftlichen Anweisungen stand, die die US-Botschafterin im Irak, April Glaspie, erhalten hatte. Sollte sie Saddam Hussein tatsächlich signalisieren, er dürfe Nordkuwait einnehmen, mehr aber nicht? Waren die Signale eindeutig oder mißverständlich? Hatte Saddam Hussein die Signale der Botschafterin nur so verstanden, dass er ganz Kuwait besetzen dürfe? War der Einmarsch irakischer Truppen in Kuwait das Ergebnis schlechter amerikanischer Diplomatie? Oder sollte Diktator Saddam Hussein in eine Falle gelockt werden, um einen Angriffsgrund gegen ihn in die Hand zu bekommen?

Zum Zeitpunkt des Entstehens dieses Buches war es mir nicht möglich herauszufinden, ob diese Anweisungen der amerikanischen Öffentlichkeit bereits zugänglich gemacht worden sind. Aber ohne Zweifel wäre das eine weitere interessante Recherche. Licht zu bringen in das Dunkel der diplomatischen Verhandlungen vom Juli und Dezember 1990 und Januar 1991 könnte möglicherweise bedeuten, dass die Geschichte der vergangenen 12 Jahre am Persischen Golf in Teilen neu geschrieben werden müßte.

Bagdad, 03.04.03, 07.00 Uhr MESZ
(09.00 Uhr Ortszeit)
Zeitgefühl geht verloren

Welchen Tag haben wir heute? Mittwoch? Nein, Donnerstag. Ich habe kein Gefühl mehr für die Wochentage. Diese Kriegstage sind alle gleich schrecklich und gleich monoton. Immer dieser Brandgeruch, die Detonationen, die Fluggeräusche der Bomber und die Bilder der brennenden Öltanks. Ich kann nur ganz grob sagen, dass wohl zwei Wochen Krieg jetzt vorbei sein müssten – mir kommt es aber vor wie eine Ewigkeit. Gestern Abend fingen die heftigen Bombardements zwischen 22.00 und 23.00 Uhr an. Ich habe wieder heftige Explosionen gehört. Was später passierte, kann ich nicht sagen. Gegen Mitternacht bin ich vor Erschöpfung so fest eingeschlafen, dass ich nichts mitbekommen habe. Erst um 7.00 Uhr bin ich wieder aufgewacht.

Zivilisten zahlen den höchsten Preis

Der Tag gestern war schrecklich für mich. Wir waren mit einer dieser organisierten Bustouren in einem Krankenhaus in Hilla. Die Stadt liegt 95 Kilometer südlich von Bagdad. Nach den Informationen, die wir hier bekommen, ist das 50 Kilometer von der Front entfernt. Die Bilder im Krankenhaus waren furchtbar. Ich habe 300 zum Teil schwer verletzte Zivilisten gesehen. Ich bin mir ganz sicher, dass es Zivilisten waren. Da lagen hilflose Menschen, denen Gliedmaßen amputiert wurden, ich sah Kinder mit Kopf- und Bauchverletzungen. Ich konnte nur schwer die Tränen zurückhalten, die Situation hat mich sehr mitgenommen. Auch das Krankenhauspersonal schien völlig überfordert, die Nerven liegen dort blank. Die medizinische Versorgung ist absolut schlecht, es fehlt am Nötigsten. Die Opfer kommen wahrscheinlich aus den Dörfern um Hilla. Die Amerikaner haben dort am 31. März und 1. April Streubomben eingesetzt. Ich frage mich, wie die USA da noch von einem sauberen Krieg sprechen können. Mir ist einmal mehr bewusst geworden, dass ich die hässliche Fratze dieses Krieges gesehen habe. Und wir müssen diese schrecklichen Bilder zeigen, um darauf aufmerksam zu machen, dass die Zivilisten den höchsten Preis zahlen, obwohl sie nichts mit diesem Krieg zu tun haben. Wirklich, ich habe sehr mit den Tränen kämpfen müssen und mich gefragt: Warum? Warum das Ganze? Wohin soll dieser Krieg führen? Ich habe keine Antwort.

Alliierte meiden Städte

Heute höre ich, dass die Invasionstruppen schon 25 Kilometer vor Bagdad stehen. Ich wundere mich, denn ich habe niemanden gesehen, als ich gestern in Hilla war. Da hätte mir doch unterwegs etwas auffallen müssen. Es sei denn, die alliierten Truppen verfolgen die Umgehungstaktik: Sie meiden auf ihrem Vormarsch größere Städte wie Hilla und Kerbala und nähern sich Bagdad eher vom Westen her. Das würde erklären, dass ich keine Truppen gesehen habe. Vielleicht hatten wir auf unserer Tour nach Hilla die Front schon im Rücken?! Allerdings habe ich auch nach meiner Rückkehr nach Bagdad keine Anhaltspunkte dafür, dass die alliierten Truppen so nah vor der Stadt stehen. Ich höre keinen Gefechtslärm. Aber vielleicht werde ich heute ja auch noch überrascht und befinde mich plötzlich inmitten des Straßenkampfes. In diesem Krieg ist alles möglich.

Keine Hoffnung auf die Zeit nach dem Krieg

In der Stadt bemerke ich zunehmend die Vorbereitungen auf den Straßenkampf. Es werden immer mehr Checkpoints errichtet, weil die Regierung Angst vor Spionen und Attentätern hat. Auch die Pressekonferenzen der irakischen Führung werden extrem gesichert. Mich packt da trotzdem jedes Mal die Angst. Ich stelle mir vor, dass die Amerikaner die Bilder im Fernsehen sehen und gezielt eine Bombe auf das Hotel werfen, in dem die Pressekonferenz stattfindet, um einen Regierungsvertreter zu töten. Wir würden da auch alle mit draufgehen. Die Amerikaner könnten dann sagen, sie hätten alle Journalisten, Entwicklungshelfer etc. aufgefordert, das Land zu verlassen. Wer trotzdem bleibe, sei selbst schuld.

In der Stadt ist das öffentliche Leben bis auf ein paar Durchhalte- und Mutmachveranstaltungen zum Erliegen gekommen. In den Augen der Menschen sehe ich Resignation, sie sind mutlos. Bei anderen Kriegen ist es so, dass der Krieg irgendwann zu Ende ist und das Leben dann weitergeht. Hier ist das irgendwie anders. Die Bevölkerung glaubt offenbar, dass das der letzte Krieg ist und hinterher nichts weitergeht. Wir sind hier in einem historisch so bedeutenden Gebiet. Im alten Babylonien, wo eine der ersten menschlichen Kulturen entstand, bekämpfen sich die Menschen jetzt. Vielleicht ist die Verzweiflung hier deshalb so groß. Die Menschen sind überzeugt, dieser Krieg kann nicht gut gehen.

Das Leiden und Sterben in den irakischen Krankenhäusern

In den Morgenstunden des 2.April erfuhren wir von den Verantwortlichen des irakischen Informationsministeriums, dass eine Busfahrt in den Süden, in ein Krankenhaus, geplant sei. Alle Berichterstatter seien eingeladen. Wir ausländischen Journalisten schauten uns ungläubig an. In den Süden? Unmöglich. Angeblich sollten die Invasionstruppen bereits 50 Kilometer vor Bagdad stehen. Einige »embedded«-Reporter, die mit den Invasionstruppen unterwegs waren, hatten berichtet, sie hätten in den Abendstunden schon die Lichter von Bagdad sehen können. Das klang in der Tat so, als ob die US-Panzer bereits ganz dicht vor der irakischen Hauptstadt stünden. Jede Fahrt in den Süden wäre also reiner Selbstmord gewesen, denn wir wären direkt auf die Frontlinie zugefahren. Trotzdem, die Neugier war stärker als die Angst. Drei Busse fuhren. Alle waren voll mit Journalisten. Die Mitfahrt war freiwillig. Wer wollte, konnte auch in Bagdad bleiben. Das war jedem Einzelnen vom Informationsministerium freigestellt worden.

Ziel war die Stadt Hilla, 95 Kilometer südlich von Bagdad, nicht weit von Babylon und Kerbala. In Kerbala, das rund 40 Kilometer entfernt ist von Hilla, sollten bereits die Invasionstruppen eingezogen sein. Keine gute Nachricht, denn wie schnell konnten die Truppen Hilla erreichen und wir wären möglicherweise plötzlich mitten in einer Schlacht.

Die Fahrt verlief ohne Zwischenfälle. Es gab keine Gefechte, keine Bombardierungen. Interessant war allerdings die Szenerie links und rechts der Straße (die Straße von Hilla nach Bagdad ist die wichtigste Zufahrtsstraße aus dem Süden in die Hauptstadt). Überall irakisches Militär. Bereits in den Außenbezirken Bagdads waren zahlreiche, gut ausgebaute Verteidigungsstellungen zu erkennen. Wir durften alles filmen. Es gab kein Verbot. Auf der Strecke in Richtung Süden standen immer wieder Raketenwerfer, Panzer und Militärfahrzeuge. Auf einem Bahngleis, das parallel zur Straße verlief, wurden gerade irakische Schützenpanzer von einem Transportwaggon abgeladen. Der mittlere Teil des Militärzuges war allerdings von einer Bombe getroffen worden. Ein Fahrzeug war durch die Wucht der Detonation vom Waggon heruntergestürzt.

Die Kampfjets der Invasionsstreitkräfte hatten hier an mehreren Stellen bereits bombardiert, die Zufahrtsstraße nach Bagdad jedoch scheinbar nicht unter ihre Kontrolle bekommen können. Kurz vor Babylon standen riesige Palmenwälder, soweit das Auge blickte. Ich war fasziniert. Und zwischen den Palmen sah ich hier und da Panzer oder schwere Artilleriegeschütze. Die Bäume boten ihnen einen guten Schutz vor den Aufklärungssatelliten der Amerikaner.

Mein Dolmetscher erzählte mir, dass es im Irak früher weltweit die meisten Palmen gegeben haben soll. Mit 35 Millionen Bäumen hielt das Zweistromland den absoluten Rekord. Wie viele es jetzt sind, weiß niemand. Die Gegend um Babylon war vor den Kriegen für seine erlesenen Datteln bekannt. Es gab über 500 verschiedene Sorten, die weltweit exportiert wurden.

In den Städten, durch die wir fuhren, beobachteten wir einen relativ normalen Alltag. Die Menschen waren auf den Straßen, die Geschäfte geöffnet, ein wenig Anspannung lag in der Luft. Unsere Busse wurden überall angestarrt. Es war offenbar lange her, dass sich Ausländer in diese Gegend verirrt hatten. Kurz vor Babylon war eine Bauruine zu sehen. Hier sollte die Universität von Babylon entstehen. Die Bauarbeiten waren jedoch eingestellt worden. Nur die reich verzierten Mauern, die das Universitätsgelände umsäumten, standen schon. Ebenso ein paar

Gebäude. Mehr nicht. Ich fragte mich, ob und wann sie einmal fertig sein wird. Irgendwann nach dem Krieg. Vielleicht.

In Hilla angekommen, herrschte in der Stadt eine eigenartige Stimmung. Die Front lag offenbar weiter südwestlich. Gleich beim ersten Hinsehen fiel auf, dass Hilla heftig bombardiert worden war. Zahlreiche Gebäude waren völlig zerstört. Das Internationale Rote Kreuz hatte die Bombardierungen als blanken Horror bezeichnet. Ungewöhnlich, dass eine unabhängige Organisation so ein hartes, eindeutiges Urteil trifft.

Langsam schlichen die Busse durch die Straßen und hielten schließlich vor dem Universitätskrankenhaus. Ich ahnte Schlimmes – und es wurde schlimm. Im Krankenhaus herrschte völliges Chaos. So wie eigentlich in allen Krankenhäusern, die ich im Irak bisher gesehen hatte. Als wir Berichterstatter ins Gebäude traten, schauten wir in viele tieftraurige Augen. Es waren die Angehörigen der Verletzten, die hier in den vergangenen Tagen eingeliefert worden waren. In der Eingangshalle waren viele Menschen. Sie drängelten sich an den unzähligen Krankenbetten vorbei, die mitten im Eingangsbereich standen.

Um ein Bett hatte sich eine Menschentraube gebildet. Auf der alten, schmutzigen Matratze lag ein kleiner Junge, vielleicht zwei Jahre alt. Er schrie mörderisch. So etwas habe ich in meinem Leben noch nicht gehört. In seinem Schrei lag nackte Verzweiflung. Zwei oder drei Ärzte versuchten, dem Kleinen, der am rechten Oberschenkel verletzt war, die Hosen auszuziehen, um den anwesenden Journalisten die Wunden zu zeigen. Der Schrei des Jungen trieb mir die Tränen in die Augen. Ich musste mich abwenden, um nicht sofort loszuweinen.

Nach ein paar Augenblicken, als ich mich etwas gefasst hatte, sah ich einen Kameramann, der die Szene drehen wollte. Sanft fasste ich den Kollegen an der Schulter und schob ihn weiter. Nein, sagte ich dem Kameramann, der Kleine hat Angst vor uns. Bitte filme hier nicht. Mein Kollege nickte und wir gingen weiter. Langsam wurde klar, dass hier im Universitätskrankenhaus von Hilla, nicht weit von Babylon, nicht weit von der Wiege der menschlichen Hochkultur, hunderte Zivilisten eingeliefert worden waren, die in der Mehrzahl schwer verletzt worden waren.

Mein Dolmetscher und ich taten das, was alle unsere Kollegen machten, wir gingen von einer Etage zur nächsten, von einem Zimmer zum anderen, um herauszufinden, was passiert war. Mir fiel auf, wie zurückhaltend und rücksichtsvoll sich alle Berichterstatter angesichts dieses großen Leids verhalten haben.

Im Krankenhaus befanden sich mehr als 300 Zivilisten, eingeliefert am 31. März und 1. April. Alle Altersgruppen waren vertreten. Babys, Kleinkinder, Jugendliche, Erwachsene, Männer und Frauen, jung und alt. Fast alle stammten aus den umliegenden Dörfern. Dort hatte es offenbar schwere Kämpfe gegeben, bei denen die Invasoren Streubomben eingesetzt hatten. Streubomben wirken wie Landminen. Die einzelnen Sprengladungen der Bomben können noch lange nach dem Abwurf explodieren und stellen dadurch eine permanente Gefahr dar.

Der Einsatz von Streubomben, so genannten cluster bombs, verstößt gegen Artikel 51 des 1. Zusatzprotokolls der Genfer Konvention. Bis zum 24. April hatten die britischen Streitkräfte rund 2.100 Streubomben über dem Irak abgeworfen (diese Zahl stammt aus dem britischen Verteidigungsministerium), die Anzahl amerikanischer Streubomben ist bisher nicht bekannt.

Dass zahlreiche Dorfbewohner von Streubomben getroffen worden waren, war uns nach einem ersten Rundgang klar. Ein Arzt hielt ein Röntgenbild von einem kleinen Jungen hoch. Auf dem Foto war der Oberkörper des Kindes zu erkennen. Der Arzt zeigte mir insgesamt fünf Stellen mit Splitterverletzungen. Vier im Oberkörper, eine im Arm. Die werden wir erst mal drinlassen müssen, meinte der Arzt mit einem Schulterzucken.

Für eine Operation haben wir keine Kapazitäten, fügte er hinzu. Im Zimmer des Chefarztes stapelten sich Röntgenaufnahmen der Verletzten. Offenbar wurden nur die schwersten Fällen sofort operiert.

In den meisten Zimmern gab es nicht einmal Bettlaken. Die Böden konnten nur mit Wasser gereinigt werden. Desinfektionsmittel beispielsweise durften aufgrund des UN-Embargos nicht eingeführt werden. Der UN-Sicherheitsrat hatte Angst, der Irak könne aus der Desinfektionslösung, die für Krankenhäuser bestimmt sei, chemische Massenvernichtungswaffen herstellen. Auf der Sanktionsliste wird das als »dual use« beschrieben – wenn zwei verschiedene Arten der Nutzung möglich sind.

Und so gab es keine Desinfektionsmittel, mussten die Verwundeten unter unvorstellbaren hygienischen Bedingungen behandelt werden, blieben die irakischen Krankenhäuser voller Keime, Viren und Bakterien. Auch über die Sinnhaftigkeit des UN-Embargos ließe sich noch viel sagen.

Überall im Hospital stank es. Das lag unter anderem daran, dass die Verbände nicht gewechselt werden konnten, weil nicht ausreichend Verbandszeug vorhanden war. Oft blieben die Binden und Pflaster so lange auf den Wunden, bis sich zwangsläufig Infektionen bildeten. Kriegsalltag im Universitätskrankenhaus von Hilla.

Noch sehr genau erinnere ich mich an das Zentralkrankenhaus in Bagdad. Völliges Chaos herrschte im Wartesaal, der zur Notaufnahme umfunktioniert worden war. Jedes Fahrzeug, das vor dem Eingang hielt, brachte neue Verletzte. Umgekehrt verließen täglich mehrere Särge das Hospital. Denn oft konnten die Ärzte wegen fehlender oder unzureichender medizinischer Ausrüstungen nicht helfen. Zudem war das Personal brutal überlastet. Teilweise saßen Ärzte erschöpft und zusammengesunken im Eingangsbereich des Krankenhauses. Das Problem für die irakischen Ärzte war eindeutig: Sie konnten die Patienten nicht versorgen, schon gar nicht ausreichend, kaum war die Minimalversorgung gewährleistet.

Das Krankenhaus von Hilla war in einem erbärmlichen Zustand. Welches Krankenhaus kann schon innerhalb von zwei Tagen über 300 Verletzte aufnehmen, klagte ein Mediziner. Das schaffe kein Krankenhaus der Welt. Schon gar nicht eines, in dem es keine Medikamente oder Verbandsmaterialien gibt.

Es brauchte ein ganzes Buch, um die Misere ordentlich darstellen zu können, das Chaos, das ich auch in anderen Krankenhäusern im Bagdad gesehen habe. Es wäre ein Buch über das Leiden und Sterben in irakischen Krankenhäusern.

Bagdad, 04.04.03, 08.00 Uhr MESZ
(10.00 Uhr Ortszeit)
Panik macht keinen Sinn

Die vergangene Nacht hatte etwas Gespenstisches. In der gesamten Stadt fiel der Strom aus, es wurde komplett dunkel. Auch jetzt ist noch kein Strom da, wir verfügen nur über eine Art Notstromversorgung. Aber was noch viel problematischer ist: Wir haben auch kein Wasser mehr. Ich habe gestern Abend schon vorgesorgt und die ganze Badewanne mit Wasser voll laufen lassen und habe so fast 300 Liter Trinkwasser gebunkert. Das reicht für die nächste Zeit. Auch wenn mich die Situation bedenklich stimmt, versuche ich, normal weiterzumachen. In Panik zu verfallen, macht keinen Sinn. Wichtig ist, dass ich fit bleibe, dass ich mich konzentriere. Ich muss außerdem sparsam sein, keiner weiß wirklich, wie es hier weitergeht. Ich will in den nächsten Tagen so wenig wie möglich essen, damit ich nicht so oft zur Toilette muss. Denn ohne Wasser funktioniert auch die Spülung nicht.

Finale Schlacht um Bagdad
hat begonnen

In den Abend- und Nachtstunden müssen die Invasionstruppen rasant vorwärtsgekommen sein. Zusammen mit etwa 30 Kollegen war ich gestern am frühen Abend noch auf dem Flughafen von Bagdad. Da war noch niemand zu sehen. Zwei, drei Stunden später müssen die US-Truppen den Airport

95

dann eingenommen haben. Auch jetzt gerade höre ich Artillerie-Explosionen aus Richtung Flughafen. Hier in der Stadt herrscht eine ganz seltsame Atmosphäre. Wenn ich aus dem Fenster schaue, sehe ich nur ein paar wenige Autos auf der Straße, ansonsten ist alles gespenstisch ruhig. Ich habe schon das Gefühl, dass die finale Schlacht um Bagdad begonnen hat. Ich weiß noch nicht, was ich tue, wenn hier der Straßenkampf beginnt. Ich habe mehrere Alternativen, aber im Moment denke ich nicht darüber nach. Ich warte ab. Die meiste Angst habe ich vor einer möglichen Anarchie in Bagdad, hoffe aber, dass diese nur von kurzer Dauer sein wird.

Risiko ist noch überschaubar

Obwohl der Bodenkampf um Bagdad möglicherweise kurz bevorsteht, bin ich okay. Ich versuche, meinen Job zu machen, Profi zu sein. Ich bin voll drin, ich passe auf, was passiert. Ich halte mich fern von Spekulationen, bin konzentriert. Ja, ich komme gut zurecht momentan, das Risiko ist für mich noch überschaubar. Gut, manchmal bin ich gereizt oder überdreht, aber in diesen Tagen ist der Adrenalinspiegel extrem hoch. In den vergangenen Nächten habe ich zum Glück aber ganz gut geschlafen, mindestens vier Stunden am Stück. Ich war so erschöpft, dass mich die nächtlichen Bombardements nicht gestört haben.

Wenn Storys wie Kartenhäuser zusammenfallen

Ich ärgere mich immer wieder, wenn ich Meldungen vom Vormarsch der Invasionstruppen höre, die ihrer Zeit voraus sind. Es werden Dinge behauptet, die einfach nicht stimmen.

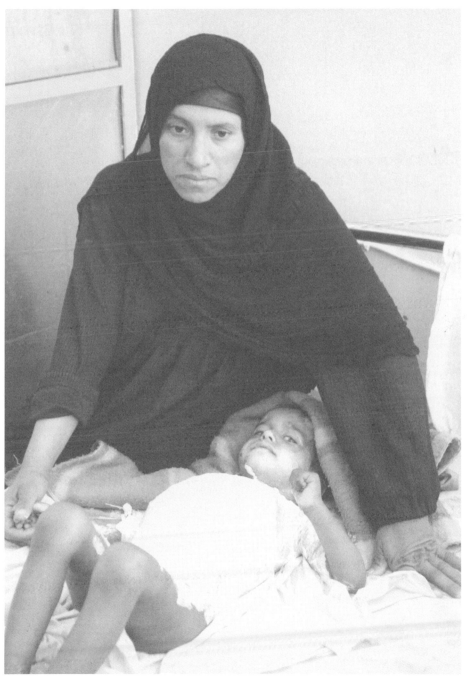

Das Al-Jarmuk Krankenhaus an der Al-Mustansaria Universität. Nach Angaben des Informationsministeriums wurden hier Opfer des Luftangriffs der US-Amerikaner und Briten von der Nacht des 21.03.03 aufgenommen. Der 4jährige Junge Abas Ali erlitt ab der Hüfte sehr starke Verbrennungen.

Der östliche Teil Bagdads, in dem Öl zur Vernebelung angezündet wurde. Hochhäuser an der Saadun Street.

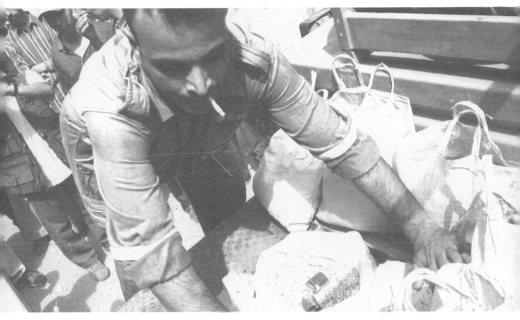

Das Wohnviertel Al-Bahadia im Osten der Stadt. In dem ca. 20 Jahre alten Palästinenserviertel leben ungefähr 50.000 Menschen. Seit ca. 3 Tagen sind dort immer wieder Teile von Cluster Bomben niedergegangen. Zivilschützer sammeln die nicht explodierten Bomblets ein.

Ein zerstörter US-amerikanischer M1 Abrams Panzer auf der Bundesstraße 8 Richtung Saddam International Airport. Ob der Panzer am 5.4. zwischen 6 Uhr und 8 Uhr bei einem Gefecht dort von der irakischen Armee endgültig zerstört wurde, oder von der britisch/US-amerikanischen Luftwaffe, damit er nicht in Feindeshand fällt, ist nicht gesichert. Das montierte Abschleppgestänge am Panzer in Richtung Flughafen lässt die Vermutung aufkommen, dass der Panzer von den eigenen Truppen abgeschleppt werden sollte.

US-amerikanische Truppen rücken in das Zentrum von Bagdad auf dem Al-Ferdous Platz (Das Paradies) ein.

Nach dem Vorrücken der US-amerikanischen Truppen in das Zentrum von Bagdad wird auf dem Al-Ferdous Platz eine Saddam Hussein-Statur demontiert.

Das Planungsministerium wird von der Bevölkerung geplündert.

Anwohnerinnen beobachten Plünderungen am Industrieministerium.

Das Wohnviertel Al-Sha'ab (Das Volk) bei einem Sandsturm und nach dem Einschlag von zwei Raketen um 11.30 Uhr der US-Amerikaner und Briten. Im Vordergrund der Fotograf Markus Matzel.

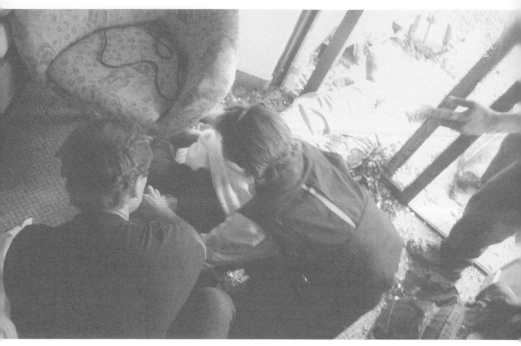

Das Hotel Palestine nach dem Angriff der US-Amerikaner. In dem Hotel befinden sich hauptsächlich Journalisten. Angegriffen wurden die 14. Etage (hier ist Tele 5, Spanien, untergebracht) und die 15. Etage (Zimmer der Nachrichtenagentur Reuters). Kollegen versorgen einen verletzten Kameramann von Reuters (Taras Protsyuk). Der gebürtige Ukrainer erlag später seinen Verletzungen.

Journalisten stellen nach der Gedenkminute Kerzen für die getöteten Kollegen auf.

Damit ist die seriöse Berichterstattung gefährdet, ich bekomme dann Fragen gestellt, die sich noch gar nicht stellen dürften und auf die es erst recht noch keine Antwort geben kann. So etwas macht mich wütend.

Genauso wütend bin ich über die Vorwürfe, ich würde einseitig berichten. Diese Vorwürfe sind völlig haltlos. Ich distanziere mich natürlich vom Irak, ich weiß, dass viele Informationen der irakischen Führung reine Propaganda sind. Ich habe als Journalist hier in Bagdad relativ große Freiheit, Dinge so zu beschreiben, wie sie sind und wie ich sie wahrnehme. Die Kollegen, die mit den Truppen unterwegs sind, dürfen viel weniger sagen. Außerdem kann sich keiner wirklich vorstellen, wie es ist, hier zu sein. Niemand kann von sich behaupten, allumfassend informiert zu sein.

Die US-Erfolgsmeldungen sind in diesem Krieg zahlreich und schon mehr als einmal als Lüge wie ein Kartenhaus in sich zusammengestürzt. Der Irak versorgt uns nur spärlich mit Informationen. Am Anfang wurden wir noch grob über die Ereignisse informiert. Da entsprachen die Aussagen auch noch der Wahrheit. Jetzt tut Bagdad aber immer noch so, als ob man die totale Schlacht gegen die Invasionstruppen führt, als ob die Amerikaner immer noch 100 Kilometer vor der Stadt stehen. Das sind klare Propagandamaßnahmen. Darauf falle ich nicht herein. Ich versuche, Dinge so zu sagen, wie ich sie hier sehe.

Die unsichtbaren US-Truppen
am Flughafen in Bagdad

Die Tage um den 3. April waren für mich außergewöhnlich belastend und stressig. Es ging die Eilmeldung durch die Medien, die Invasionstruppen seien zum Internationalen Flughafen von Bagdad vorgestoßen. Das war eine kleine Sensation, denn mit so einem Vorstoß hatte niemand gerechnet.

Als Berichterstatter, der sich im Zentrum von Bagdad befand, konnte ich die Meldung weder dementieren noch bestätigen. Der Flughafen befindet sich rund 25 Kilometer südwestlich von Bagdad. Ständig kam in Interviews die Frage aus Deutschland: Sind die Amerikaner nun am Flughafen oder nicht? Jeder Journalist in Bagdad war um Klarheit bemüht. Auf einer Pressekonferenz in den Mittagsstunden mit dem irakischen Informationsminister Sahhaf stellten wir konkret und eindeutig die Frage, ob US-Truppen auf dem Internationalen Flughafen seien. Er verneinte. Das würde uns als Antwort nicht reichen, erklärten die meisten von uns sofort. Sahhaf bot lächelnd an, wir könnten ja selbst zum Flughafen fahren.

Tatsächlich wurde zwei oder drei Stunden später eine Bustour zum Airport organisiert. Rund 30 Berichterstatter waren dabei, darunter ich. Mehr Journalisten waren aus uns unbekannten Gründen nicht zugelassen. Die Fahrt zum Flughafen verlief ohne Zwischenfälle. Kein Militär war auf den Straßen. Kurz vor Erreichen des Flughafens konnten wir ein paar bombardierte Gebäude ausmachen, offenbar Armeeobjekte.

Ankunft auf dem Flughafen. Es waren keine US-Truppen zu

sehen. Nichts. Allerdings auch kein irakisches Militär. Nur ein paar bewaffnete Posten. Mehr nicht. Auf dem Rollfeld standen zwei Flugzeuge der Gesellschaft *Iraqi Airways*. Bei einer Maschine fehlten die Triebwerke. Das zweite Flugzeug war eine Boeing 747. Der Jumbojet trug die typische Farbkombination Weiß-Grün, so wie die meisten Maschinen von *Iraqi Airways*. Mit dieser Maschine konnten die Invasoren nicht gelandet sein ...

Es überraschte mich, dass am Bagdad International Airport keine irakische Armee zu sehen war, schließlich sind Flughäfen wichtige strategische Punkte. Aber US-Truppen gab es wie gesagt auch keine weit und breit. Vielleicht waren die Amerikaner ja irgendwo in der Nähe des Flughafens, und wir konnten sie nur nicht sehen? Dieses Gefühl, beobachtet zu werden, beschlich mich die ganze Zeit über. Aber entscheidend für meine Berichterstattung war in diesem Moment nur, was ich mit meinen eigenen Augen sehen oder eben nicht sehen konnte – und das waren amerikanische Truppen.

Der Direktor des Flughafens gab noch Interviews, wir besichtigten das Ankunftsterminal, stiegen gegen 18 Uhr Ortszeit wieder in den Bus und fuhren ins Hotel.

Zwei Stunden später war aus Richtung Flughafen schwerer Gefechtslärm zu hören. In ganz Bagdad fiel in jener Nacht der Strom aus. Tatsächlich hatten die Invasionstruppen in der Nacht begonnen, den Flughafen nach und nach einzunehmen. Die Irakis versuchten zwar eine Rückeroberung, doch das misslang.

Die Vorgänge am Flughafen bestätigten mir ein Phänomen dieses Krieges:

Die Nachrichten waren den tatsächlichen militärischen Ereignissen oft voraus. Manchmal waren es nur 12 Stunden, mitunter aber auch zwei oder drei Tage. Das hatte den Effekt, dass die irakische Seite permanent in Erklärungszwang geriet gegenüber der versammelten internationalen Presse in Bagdad.

Bagdad, 05.04.03, 08.45 Uhr MESZ
(10.45 Uhr Ortszeit)
Die Ungewissheit ist quälend

Es ist eine sehr eigenartige Atmosphäre in der Stadt. Die Lage ist sehr unübersichtlich. Im Süden und Westen von Bagdad war Gefechtslärm zu hören. Aus meinem Hotelzimmer im 10. Stock habe ich auch Rauchsäulen von Bombeneinschlägen gesehen. Auch die Kämpfe um den Flughafen gehen offenbar weiter. Keiner weiß so richtig, was als Nächstes passieren wird. Ich habe das Gefühl, irgendwie in der Luft zu hängen. Wie zwischen Baum und Borke. Diese Ungewissheit ist sehr quälend. Aber den Kollegen geht es ja auch nicht anders. Aber ich bin mir sicher, dass jetzt die entscheidende Phase des Krieges begonnen hat.

Nicht viele Flüchtlinge auf den Straßen

Von großen Flüchtlingsströmen kann ich nichts sehen. Vereinzelt laden Familien ihr Hab und Gut auf Trucks und versuchen aufs Land zu fahren. Andere suchen sich innerhalb von Bagdad eine neue Unterkunft, um den Bombenangriffen zu entgehen. In einigen Teilen von Bagdad funktionierte in der letzten Nacht die Straßenbeleuchtung wieder. Das Stadtzentrum war aber wieder in gespenstische Dunkelheit gehüllt. Die Menschen helfen sich in der Zwischenzeit mit Notstromaggregaten aus. Wasser gibt es auch wieder. Meine Badewanne habe ich vorsichtshalber wieder voll laufen lassen.

100

Die Menschen sind sehr pragmatisch

Die angekündigten »unkonventionellen Maßnahmen« haben sich bis jetzt als Propaganda erwiesen. Ich kann davon überhaupt nichts sehen. Die Mehrheit der Bevölkerung will sich nur in Sicherheit bringen und abwarten. Die Menschen sind hier sehr pragmatisch. Sie wollen nur den Krieg irgendwie überleben. Die Kalaschnikow bleibt da im Schrank. Auch wenn ich auf der Straße und in Geschäften mit den Menschen spreche, kann ich von dieser absoluten Unterstützung für Saddam Hussein nichts spüren.

Student: Ich kämpfe für meine Heimat

Sicherlich gibt es auch zahlreiche Anhänger, bei denen die Meldungen des irakischen Fernsehens auf große Zustimmung stoßen. Sie sind mit Saddam aufgewachsen, sie kennen nichts anderes. Für sie bricht da eine Welt zusammen. Gestern habe ich mit einem irakischen Studenten aus Bremen gesprochen, der in Dresden einen Deutschkurs gemacht hat. Er ist nach Bagdad gekommen, um zu kämpfen. Nicht für Saddam, sondern für sein Heimatland. Jetzt geht er mit Freunden am Tigris auf Streife. Er kämpft aus freien Stücken. Diesen Patriotismus fand ich beeindruckend. Diese Vaterlandsliebe hat aber noch eine andere Seite. Die meisten Irakis lehnen die amerikanische Invasion ab. Sie lieben ihr Land und finden es nicht gut, was jetzt hier passiert. Die Zerstörungen, die Opfer unter der Zivilbevölkerung. Das wird ein großes Problem nach dem Ende des Krieges. Die Unzufriedenheit in der Bevölkerung birgt die Gefahr von Instabilität im Land.

Ausharren und hoffen

Ich mache mir Gedanken über die bevorstehenden Kämpfe in der Stadt. Kommt es wirklich zum Häuserkampf? Ich kann hier nicht weg. Wohin sollte ich auch gehen? Wohin sollen die fünf Millionen Einwohner von Bagdad gehen? Für den Notfall habe ich immer meine Splitterschutzweste dabei. Ansonsten versuche ich immer, mich nicht in unnötige Gefahr zu begeben.

Nicht für Saddam –
aber gegen die Amerikaner

Am 4. April, also fünf Tage vor der Eroberung Bagdads durch die Invasionstruppen, machte ich eine merkwürdige Bekanntschaft. Im Hotel sprach mich ein junger Iraki an. Auf deutsch. Seinen Namen möchte ich nicht nennen. Er habe in Dresden einen Deutschkurs absolviert und studiere jetzt in Bremen. Da man im Krieg immer eigenartige Begegnungen hat, war ich auch diesmal sehr skeptisch. Der junge Mann zeigte mir seinen Studentenausweis. Alles stimmte. Passbild, Studienort und Stempel. Ohne Zweifel, der Ausweis war echt. Er würde gerade hier kämpfen, sagte der Student. Diese Aussage erstaunte mich. Für wen wolle er denn hier kämpfen, fragte ich. Natürlich für den Irak und gegen die Amerikaner, erwiderte der Student wie selbstverständlich. Ich könne sofort nachprüfen wer er sei, in Dresden bei seinen deutschen Freunden anrufen und mir bestätigen lassen, dass er ein seriöser Mensch sei. Ob er für Saddam Hussein in die Schlacht ziehe, wollte ich weiter wissen. Nein, schüttelte er den Kopf, nicht für Saddam Hussein, sondern für sein Heimatland, für den Irak.

Der Student erzählte, dass er sich mit Freunden in einer Art Miliz organisiert habe, die nachts bis in die Morgenstunden am Ufer des Tigris patrouilliere auf der Suche nach amerikanischen Soldaten. Er habe aber nicht viel Zeit, beendete er das Gespräch, gab mir zwei Briefe für Freunde und verschwand. Er müsse zur Ausbildung. Irgendwie erschien er mir ehrlich.

Was aus ihm geworden ist, ob er noch lebt, das weiß ich nicht. Als am 7. April US-Panzer das Regierungsviertel eroberten, konnte ich einige irakische Uniformierte davonrennen und ins Wasser springen sehen. Vielleicht war der Bremer Student einer von ihnen und hat überlebt. Beeindruckend war, dass der junge Mann ganz nüchtern unterschied zwischen Saddam Hussein und dem Irak. Dies erschien mir sehr wichtig.

Zwei Punkte haben sich im Verlaufe des Krieges herauskristallisiert:

Erstens hatten viele irakische Soldaten und Offiziere offenbar keine Ahnung davon, dass ihnen eine hochgerüstete, technologisch überlegene Armee gegenüberstand. Und zum zweiten zogen Teile der Streitkräfte rein aus patriotischen Erwägungen in den Kampf. Das betrifft offenbar auch die Republikanischen Garden, die Elite der irakischen Armee, die allesamt Berufssoldaten waren. Rekrutiert wurden die Garde-Soldaten aus den zahlreichen einflussreichen Beduinenstämmen, die überall im Zweistromland, vor allem in den ländlichen Gegenden, die uneingeschränkte Macht besitzen.

Was aus den Saddam Hussein-treuen Stämmen geworden ist, bleibt eine interessante Frage. Deshalb ist die Rolle der Republikanischen Garden in diesem Konflikt sehr nachprüfenswert. Wie allgemein bekannt ist, standen sie zwar loyal zu Saddam Hussein, aber die Kommandanten der Garden waren sicherlich auch pragmatisch handelnde Militärs. Als der Krieg zu Ungunsten des Regimes kippte, gab es immer wieder Berichte und Gerüchte, dass einige Einheiten der Republikanischen Garden die Waffen niedergelegt hätten. Sterben für Saddam Hussein wollten sie offenbar nicht. Also fiel irgendwann die pragmatische Entscheidung: Waffen nieder, ab nach Hause.

Die Rolle der irakischen Beduinen im 3. Golfkrieg ist bisher unerforscht und wird mysteriös bleiben. Große Teile des Landes gehören einigen wenigen einflussreichen Stämmen, die sich, jeder Einzelne, wieder in verschiedene Clans und Gruppen unterteilen. Saddam Hussein selbst förderte seit Beginn der 90er Jahre die Einbindung der Stämme auf dem Land in staatliche Strukturen, da die irakische Zivilgesellschaft zusehends verfiel. Vornehmlich übertrug er ihnen Aufgaben der Selbstverwaltung, die Erhebung von Steuern und die Gewährleistung von Sicherheit durch eine lokale Polizei. Die Clans erhielten dafür eine leichte Bewaffnung sowie Kommunikationsmittel. Die Einbindung war aber nur eine Notlösung.

Auf die Stämme, die so genannten *tribesmen*, hatte die irakische Führung während des 3. Golfkrieges große Hoffnungen gesetzt. Ganz deutlich wurde diese in den Tagen um den 26. und 27. März. Zu diesem Zeitpunkt fegte ein gigantischer Sandsturm über den Irak. In Bagdad konnten wir teilweise keine 50 Meter weit sehen. Es war irgendwie gespenstisch. Die Farben am Himmel variierten von Hellweiß über Wüstengelb bis Orange. Mitunter wurde der Himmel über Bagdad blutrot. In Schaltgesprächen wurde ich daraufhin mehrfach gefragt, ob die irakische Hauptstadt brenne, was ich natürlich verneinte. Viele Irakis sagten mir, diesen Sandsturm habe Allah geschickt, als Strafe für die Invasoren. Der Sturm hatte in der Tat etwas Mystisches an sich. Bei mir selbst entdeckte ich, dass er abergläubische Vorstellungen weckte: Der Sturm sei möglicherweise ein Wink von irgendwo oben an die Menschheit, nicht die eigene Wiege anzugreifen. Das mag komisch klingen, aber in derartigen Augenblicken gelangt der Verstand auf verschlungenen Wegen zu ganz eigenartigen Schlüssen. Der Himmel sah wirklich aus wie mit Blut getränkt. Es schien so, als ob sich jede Minute eine Prophezeiung bewahrheiten könnte.

Der irakische Informationsminister Sahhaf hatte in jenen Tagen den Untergang der Invasionsarmee vorausgesagt. Der Sandsturm bot dafür die perfekte Kulisse. Tatsächlich steckten die Invasoren vorübergehend im Sturm fest. In diesem Punkt hatte Sahhaf ausnahmsweise einmal Recht. Den internationalen Journalisten verkündete der irakische Informationsminister,

Kämpfer der irakischen Beduinenstämme seien im Schutze des Sandsturms unterwegs, um die Invasoren zu zerschlagen. Die Vorstellung, wie tuchverhüllte Beduinen auf Pferden und Kamelen den Invasoren entgegenreiten, die in der Wüste in ihren Panzern mit Wärmebildkameras saßen und trotz Sandsturms alles genaustens beobachten und kontrollieren konnten, war bizarr und unglaubwürdig. Das Märchen von den listigen, siegreichen Beduinen war einfach nur ein Märchen des Regimes. Ob die irakischen Beduinen in den Krieg überhaupt eingegriffen haben, scheint fraglich. Sie leben mit der Natur, handeln pragmatisch und hatten sicherlich schon zu Kriegsbeginn erkannt, dass es keinen Sinn macht, sich überlegenen Invasoren entgegenzustellen und dass es erst recht keinen Sinn macht, für einen Diktator zu sterben.

Bagdad, 06.04.03, 07.45 Uhr MESZ
(9.45 Uhr Ortszeit)
Wenn der Schreck in die Glieder fährt

Gestern war ein sehr hektischer Tag. Eine Granate schlug in der Nähe des Hotels ein, wo ich und andere Journalisten untergebracht sind. Das zeigte wieder, dass die Bedrohung des Krieges allzeit präsent ist. Das Zischen der Granate konnte ich deutlich hören und den Feuerblitz sehen, der sie begleitete. Das war schockierend. Da saß der Schreck mir in den Gliedern. Danach war es wieder still. Unheimlich still. Ich weiß nicht, aber vielleicht war dieser Beschuss ja auch als Einschüchterung für uns Journalisten gedacht. Jedenfalls würde ich einen Querschläger ausschließen. Bis auf zwei Detonationen um Mitternacht blieb die gestrige Nacht dann absolut ruhig.

Amerikaner waren nur am südlichen Stadtrand

Gestern überschlugen sich die Meldungen, amerikanische Soldaten seien in das Zentrum vorgerückt. Was stimmt, ist, dass US-Soldaten am südlichen Stadtrand vorbeigefahren sind. Da waren wieder einmal viele falsche Informationen mit im Spiel. Besonders CNN hat mit seinen Berichten wieder übertrieben. Augenzeugenberichte habe ich jedenfalls nicht, dass Amerikaner im Zentrum gewesen sind. Es ist aber trotzdem interessant, dass die Amerikaner so weit vorgerückt sind, weil gerade in diesem Stadtgebiet viele Truppen zusammengezogen sind. Und

107

Informationen über Gefechte habe ich nicht. War die Kolonne der Amerikaner zu einschüchternd? Gestern, bei meiner Tour durch die Stadt, war das Straßenbild ganz normal. Tankstellen und Geschäfte waren geöffnet, Leute gingen ins Restaurant. Von Krieg war da wenig zu sehen.

Bilder von Verletzten sind keine Propaganda

Trotz der täglichen Bedrohung und Entbehrungen erfahre ich jeden Tag, wie froh die Menschen sind, dass wir Journalisten in der Stadt sind. Als ein Kollege für uns Bananen kaufen wollte, bestand der Verkäufer darauf, sie ihm zu schenken. Er war einfach glücklich, dass es überhaupt noch Leute gibt, die auf den Markt gehen. Die irakische Bevölkerung fühlt sich sehr allein gelassen. Von der Welt und ihren Nachbarländern. Ich möchte mich noch einmal zu der Frage von Propaganda in diesem Krieg äußern. Die schlimmsten Bilder sind bei den täglichen Berichten gar nicht zu sehen. Aus Rücksicht vor den Hinterbliebenen zeigen wir keine toten und verstümmelten Kinder. Das ist kein sauberer Krieg. Die Zivilisten sind die Leidtragenden. Das hat überhaupt nichts mit Propaganda zu tun.

Bagdad, 07.04.03, 08.45 Uhr MESZ
(10.45 Uhr Ortszeit)
Das ist der Anfang vom Ende

Seit heute Morgen wird im Zentrum von Bagdad gekämpft. Das Ganze wurde mit einem massiven Artilleriefeuer vorbereitet. Schlafen war unmöglich. Dann sah ich drüben am anderen Flussufer vier amerikanische Panzer. Ich traute meinen Augen nicht. Mitten im Regierungsviertel stehen amerikanische Panzer! Die irakischen Soldaten waren wohl nicht weniger baff. Als sie das schwere Gerät auf sie zurollen sahen, sprangen sie in den Fluss. Nun schießen die Panzer auf Regierungsgebäude. Ein surreales Schauspiel, das sich gerade vor meinen Augen abspielt. Es ist gerade mal 1500 Meter Luftlinie von hier. Ich stehe zwischen den Fronten.

Ich habe Angst

Ich habe Angst. Es ist ein gutes Zeichen, dass mein Selbsterhaltungstrieb noch intakt ist. Deswegen bin ich auch nie lange am Fenster. Denn die Amerikaner ballern hier auf alles, was sich bewegt. Wenn Bomben fallen, krieche ich unter den Tisch an der Wand. Sicher ist sicher.

Am anderen Tigris-Ufer

Das alles ist so irreal. Drüben wird mit schwerem Gerät ge-

109

kämpft. Diesseits dagegen herrscht eine seltsame Gelassenheit. Die Menschen gehen ihrer alltäglichen Beschäftigung nach. Autos fahren. Gespenstisch. Drüben ist Krieg, hier der Frieden. Dazwischen fließt der Tigris wie eine Grenze zwischen zwei Welten.

Amerikaner kommen

Die Stimmung ist alles andere als kämpferisch. Die meisten Menschen hier wünschen sich, dass der Krieg bald ein Ende hat. Die Iraker sehen ein, dass sie gegen die amerikanische Überlegenheit wohl nichts ausrichten können. Die Parolen der Regierungspartei sind ihnen egal. Es gibt zwar noch Truppen, die verbissen kämpfen. Doch sie sind so stark mit dem Regime verwoben, dass ihnen nichts anderes übrig bleibt als zu kämpfen. Aber die meisten wollen den Frieden. Ich höre immer wieder Iraker sagen, es sei ihnen egal, wer jetzt regiert und wer sie bald regieren wird. Hauptsache sie können in Ruhe leben, friedlich arbeiten. Die Menschen hier scheinen sich damit abgefunden zu haben, dass Bagdad bald von Amerikanern kontrolliert wird. Und es scheint, als ob der heutige Vorstoß der amerikanischen Panzer der Anfang vom Ende ist.

Der schnelle Sieg oder:
Ein mysteriöser Krieg

Beide Kriegsparteien, Invasoren und irakisches Regime gleichermaßen, bauten im Vorfeld des Krieges gespenstische Drohkulissen auf, obwohl der Konflikt eigentlich bereits vor seinem Beginn entschieden war. Das kam mir offen gestanden sehr verdächtig vor.

Die US-Administration sprach immer wieder von einem Enthauptungsschlag, der zu Beginn des Krieges die irakische Führung von der Armee trennen sollte. Wie wir alle inzwischen wissen, hat der Enthauptungsschlag schlicht und ergreifend nicht stattgefunden. Von den 55 meistgesuchten Mitgliedern des irakischen Regimes, die meisten davon saßen im Revolutionären Kommandorat, dem höchsten Entscheidungsgremium im Irak, ist durch die Bombardierungen niemand ums Leben umgekommen. Das ist schon sehr erstaunlich. Gegen Ende des Krieges hieß es, drei Mitglieder seien tot. Die genauen Umstände ihres Todes bleiben aber schwer nachprüfbar.

Ab dem 20. März bombardierten die alliierten Flugzeuge Tag und Nacht verschiedene Regierungsgebäude und Kommandozentralen, zumindest hatten wir in Bagdad diesen Eindruck. Meine Recherchen ergaben, dass es tatsächlich so war. Doch die irakische Regierung wurde nicht enthauptet. Fast täglich zeigte sich in den Pressekonferenzen ein anderes Mitglied des Regimes: der Informationsminister, der Minister für Handel, der Verteidigungsminister, der Außenminister sowie der irakische Vizepräsident. Diktator Saddam Hussein erschien nicht vor der internationalen Presse. Aber das hatten wir auch nicht erwartet. Auch Tarik Aziz, der irakische Vizepräsident, war auf keiner Pressekonferenz. Aber ich traf ihn im Hotel Mansour während einer Bombardierung. Er war in Begleitung von zwei Leibwächtern. Interviews gab er keine.

Vielleicht gehörte die Theorie vom Enthauptungsschlag zur Propagandastrategie des Pentagons, die suggerieren sollte, dass der Krieg schnell und möglichst ohne Zivilopfer zu Ende gehen würde. Von vornherein musste dem US-Zentralkommando in Doha klar gewesen sein, dass es zwar leicht sein würde, das irakische Militär zu überrennen, wohl aber unmöglich, gezielt Führungspersönlichkeiten mit Hilfe von Präzisionsbomben auszuschalten.

Ich möchte keinen Ausflug in die Militärgeschichte des Irak unternehmen. Aber einige Angaben sind einfach wichtig, um zu verstehen, warum es den Invasionsstreitkräften möglich war, die irakischen Einheiten förmlich zu überrennen. Die Informationen stammen teilweise auch von Kollegen meines Vertrauens, die als »Embeddeds« mit der Invasionsarmee Richtung Bagdad vorrückten.

Bereits viele Wochen vor dem Beginn des Golfkrieges lagen zahlreiche Dokumentationen über die irakischen Streitkräfte vor, die schon 1991 einen großen Teil ihrer militärischen Schlagkraft verloren hatten. In den 80er Jahren war die irakische Armee die viertgrößte der Welt. Vor dem 20. März war davon nur noch ein Bruchteil übrig geblieben. Die regulären Streitkräfte umfassten offenbar rund 350.000 Soldaten. Dazu kamen die Republikanischen Garden mit rund 60.000 Mann, sowie verschiedene Milizen und Spezialkommandos mit ungefähr 50.000 Kämpfern. Angeblich soll der Irak in der Lage gewesen sein, weit über 500.000 Reservisten einzuberufen. Wir reden hier also über fast eine Million Militärangehörige. Zudem soll der Irak vor Kriegsbeginn über 2.000 Panzer, 4.000 Geschütze und 3.500 gepanzerte Fahrzeuge verfügt haben, sowie über mehrere Scut- und Al-Samud-II Raketen, die allerdings zu keinem Zeitpunkt kriegsentscheidend waren.

Kurz vor Beginn des Krieges ernannte sich Diktator Saddam Hussein zum Oberbefehlshaber der irakischen Luftwaffe. Kurios ist nur, dass die Maschinen kaum einsatzbereit waren. Von den rund 300 Kampfjets waren 100 Maschinen wegen schlechter Wartung oder fehlender Ersatzteile nicht flugfähig. Das Gleiche gilt für die rund 100 Kampfhubschrauber. Zudem waren die meisten Piloten offenbar schlecht ausgebildet. Interessant ist auch, dass die irakische Luftwaffe nicht in die Kriegshandlungen eingegriffen hat. Zumindest sind mir keine Meldungen über wirksame Kampfeinsätze irakischer Militärjets bekannt. Warum hatte Saddam Hussein nach Kriegsbeginn nicht sofort den einsatzfähigen Maschinen befohlen, das Invasionsheer zu attackieren und stattdessen nur leere Drohgebärden gegen die Invasoren ausgestoßen?

Der personell zahlenmäßig überlegenen irakischen Armee standen technologisch hochgerüstete Invasionsstreitkräfte mit rund 250.000 Soldaten, hunderten Kampfjets, zahlreichen Bombern und mehreren Flugzeugträgern gegenüber. Von Anfang an verfügten die Alliierten über die Lufthoheit, was sich während der Kampfhandlungen als kriegsentscheidend erwies.

Erstaunlich war zeitweise der Verlauf des Krieges. Rasant setzten die Invasoren nach dem 20. März ihren Vormarsch fort, stießen teilweise auf heftige Gegenwehr in der Hafenstadt Umm Kasr, in Basra sowie Nassirija. Auch vor Bagdad kämpften die Republikanischen Garden offenbar heftig gegen die Invasoren. Doch ausrichten konnten die Irakis mit all ihrer Gegenwehr nichts. Kollegen, die mit den Invasionstruppen unterwegs waren, berichteten mir, dass ganze Hundertschaften irakischer Verbände von den zügig vorstoßenden US-Marineinfanteristen durch Maschinengewehrsalven regelrecht niedergemäht wurden.

Hier tauchen plötzlich einige wichtige Fragen auf. Gegen Ende des Krieges sprach das US-Zentralkommando in Doha von rund 7.500 irakischen Kriegsgefangenen, während der Kampfhandlungen wurden mindestens 2.500 irakische Soldaten durch die Invasoren getötet. Doch wo ist der Rest der irakischen Streitkräfte geblieben, die zum Beginn des Krieges auf rund 500.000 Mann geschätzt wurden? Wohin ist die Armee verschwunden? Wo sind hunderttausende Soldaten geblieben?

Die Antwort lockt auf eine interessante Spur. Meine These ist, dass die irakischen Streitkräfte von Anfang an völlig überschätzt wurden, zumindest was die personelle Stärke angeht. Die irakische Armee war offenbar viel kleiner als in den westlichen Medien oft dargestellt. (Erst jetzt, fast 12 Jahre nach dem 2. Golfkrieg, tauchten plötzlich Zahlen auf, dass sich in Kuwait nach der völkerrechtswidrigen Invasion durch Saddam Hussein nur rund 183.000 irakische Soldaten befunden haben sollen. Wie seriös diese Zahl ist, vermag ich nicht einzuschätzen – die könnte aber, falls sie stimmt, erklären, warum die Irakis so schnell und vernichtend in der Operation Wüstensturm geschlagen wurden.) Zudem war die reguläre irakische Armee schlecht ausgebildet und schlecht bezahlt. Oft mussten sich Militärangehörige von Verwandten oder Bekannten das Geld für den Bus borgen, um zur Kaserne zu kommen.

Lediglich die Republikanischen Garden waren offenbar gut ausgerüstet und angemessen bezahlt. Interessanterweise wurde ihre Zahl vor dem Krieg in westlichen Medien mit rund 80.000 angegeben, dann waren es plötzlich nur noch 50.000 und irgendwann nach Kriegsende las ich die Zahl von 26.000 Gardisten. Eigenartig. Waren Zahlen und Ausrüstung der irakischen Armee, die ohne Zweifel mitunter heftige Gegenwehr leistete, einfach nur hoch- und schöngeredet worden, um so das Bild einer schlagbereiten, gefährlichen Armee zu projizieren, die aber in Wirklichkeit allenfalls die Kraft eines zahnlosen Tigers hatte?

Für den Zusammenbruch der irakischen Armee sind verschiedene Faktoren entscheidend gewesen, die personelle Stärke war sicherlich ein Moment. Doch der wichtigste war ohne Zweifel die Selbstauflösung, die in den letzten Kriegstagen verstärkt stattfand. Überall in und um Bagdad entdeckte ich an strategisch wichtigen Kreuzungen verlassene Militärfahrzeuge, darunter Panzer, gepanzerte Fahrzeuge, Schützenpanzer, Artilleriekanonen oder Raketenwerfer. Die Soldaten waren offenbar einfach nach Hause gegangen.

Interessant waren in diesem Zusammenhang meine Beobachtungen am 8. und 9. April in Bagdad. Am 8. fuhren wir zum Mittagessen in das stadtbekannte Restaurant Al-Tabeekh. Auf der westlichen Seite des Tigris hatten US-Verbände das Regierungsviertel eingenommen. Auf unserer Flussseite, der östlichen, war überall irakisches Militär auf den Straßen. Milizen bewachten die Brücken. Jederzeit wurde ein Vorstoß der Amerikaner auf unsere Seite erwartet. Wir, mein Dolmetscher, mein Fahrer und ich, wollten nicht nur warten, sondern auch etwas essen, denn in Bagdad war nie klar, wann es die nächste Mahlzeit geben würde. Angekommen im Restaurant erlebte ich eine große Überraschung: An zahlreichen Tischen saßen irakische Offiziere. Anstatt draußen ihre Truppen zu befehligen, saßen sie ganz gemütlich beim Essen. Jederzeit konnten die US-Panzer vorrücken, die Offiziere aber machten Mittagspause. Das wunderte mich sehr. Hatten die Offiziere den Krieg etwa schon beendet? Offenbar ja.

Noch verrückter war der nächste Tag, der 9. April. Am Morgen fuhr ich durch die Stadt. Es war gespenstisch: Alle irakischen Soldaten waren spurlos verschwunden. Es war kein Militär mehr zu sehen. Auch keine Milizen. Das Phänomen der Selbstauflösung hatte offenbar die irakischen Streitkräfte in Bagdad erreicht.

Einigen Offizieren und Generälen war wohl schon länger klar, dass Präsident Saddam Hussein sie in eine aussichtslose Schlacht geschickt hatte, um sein Regime zu verteidigen. Noch genau erinnere ich mich an einen Oberst der irakischen Armee, der mich in Bagdad auf dem Paradiesplatz ansprach und Saddam Hussein vorwarf, er habe die Armee missbraucht und in eine sinnlose Schlacht geschickt. Dem Oberst stand die Enttäuschung ins Gesicht geschrieben. Wir standen während unseres Gespräches vor US-Panzern, die das Hotel Palestine bewachten. Wahrscheinlich war dem Offizier angesichts der hochmodernen (mit Computern und Wärmebildkameras ausgerüsteten) Panzer klar geworden, wie aussichtslos der Kampf der irakischen Armee eigentlich war. Später zeigte mir ein ehemaliger irakischer Soldat seinen Dienstausweis und richtete den Daumen nach unten. Er wolle mit der Armee nichts mehr zu tun haben, sagte der junge Mann.

Saddam Hussein hatte die USA immer vor einem Militärschlag gewarnt und damit gedroht, die irakische Armee würde den Invasoren eine schmerzliche Niederlage zufügen. Informationsminister Sahhaf hatte auf einer Pressekonferenz sogar verkündet, die irakischen Wüsten würden zu Gräbern für die Invasionstruppen. Diese Drohkulisse brach zusammen wie ein Kartenhaus. Augenscheinlich litt das Regime unter grenzenloser Selbstüberschätzung.

Aber auch das Pentagon hatte die irakischen Streitkräfte offenbar überschätzt. Möglicherweise wissentlich? Ein kühl kalkuliertes Bild eines Gegners, von dem Washington wusste, dass er aufgrund der technologischen Unterlegenheit überhaupt nicht mehr gefährlich und in einem militärischen Konflikt relativ leicht zu schlagen war? Und Saddam Hussein, der Unterlegene, der offenbar zunehmend unter Realitätsverlust litt, hat in seinem Wahnsinn offenbar wirklich geglaubt, er könne die Invasoren aufhalten.

Bagdad, 08.04.03, 9.00 Uhr MESZ
(11.00 Uhr Ortszeit)
Der Krieg ist kein Computerspiel

Die Nacht in Bagdad ist heute kurz gewesen. Zwischen 3 und 4 Uhr kam es zu neuen kleineren und größeren Gefechten, vor allem im Westen und auch vor unserem Hotel. In der Nähe war irakische Artillerie zu hören, die offenbar amerikanische Einheiten auf der anderen Seite des Tigris beschossen hat. Am Morgen wurde es dann total laut. Amerikanische Kampfflugzeuge mit panzerbrechender Munition flogen sehr langsam fünf bis sechs Kilometer am Hotel entfernt vorbei und beschossen irakische Panzer und gepanzerte Fahrzeuge.

Kämpfe werden immer heftiger

Am Vormittag wurden die Kämpfe noch heftiger. Ich sehe über dem südlichen Stadtteil Bagdads zwei amerikanische Apache-Kampfhubschrauber kreisen, auf der Dschumhurija-Brücke in der Nähe meines Hotels sind zwei US-Panzer zu sehen, die in unsere Richtung schießen. In nur zwei, drei Kilometern Entfernung sind viele schwere Explosionen zu hören. Es tobt eindeutig der Kampf um die südliche Uferseite des Tigris, wo sich Hotels und Büros von zahlreichen Medienvertretern sowie verschiedene Institutionen der irakischen Regierung befinden. Ich gehe davon aus, dass die Gegend hier am Nachmittag in amerikanischer Hand sein wird. Von der

117

irakischen Regierung, vom Informationsministerium war heute niemand mehr zu sehen.

Getötete Journalisten waren „embedded reporters"

Nachdem ich gestern den ganzen Tag schweißgebadet gewesen war, hat sich die Situation inzwischen etwas beruhigt. Aber keiner weiß, wo genau die Frontlinie in Bagdad verläuft. Der Tod der beiden Kollegen tut uns sehr, sehr Leid, ebenso der des Kollegen von Al Dschasira, der heute Morgen in Bagdad ums Leben gekommen ist. Er zeigt aber auch, dass der Krieg kein Computerspiel ist. Die meisten der bisher in diesem Krieg ums Leben gekommenen Journalisten waren »embedded reporters«. Sie sind anscheinend an der Front nicht wirklich 100-prozentig sicher. Die alliierte Armee hat ihnen die Illusion verkauft, leicht live vom Panzer berichten zu können, um zu zeigen, wie toll es ist, das Land zu erobern.

Journalisten werden belogen und desinformiert

Heute ist der 20. Kriegstag, doch es kommt mir viel länger vor. Kollegen haben erzählt, dass ihnen gestern zwei durch Bombenangriffe zerstörte Gebäude im Stadtteil Mansur gezeigt worden sind, in denen die Amerikaner irakische Führungskräfte vermutet hatten. Doch genaue Informationen gibt es nicht. Die Amerikaner sprechen seit dem ersten Kriegstag von einem Enthauptungsschlag. Aber wir werden auch jeden Tag belogen. Ich kann nur von dem berichten, was ich selbst gesehen habe.

Natürlich werden wir auch von den Irakis desinformiert. Obwohl sie in vielen Punkten nicht glaubhaft sind, suchen sie den Kontakt zur Presse. Eine Kriegszensur findet nicht statt, aber die Journalisten müssen mit Restriktionen arbeiten. Einige Einschränkungen habe ich mir auch selbst auferlegt. So fahre ich zum Beispiel nicht in die Kampfgebiete, um dort Inspektionen durchzuführen.

Bagdad, 09.04.03, 13.45 Uhr MESZ
(15.45 Uhr Ortszeit)
In Bagdad herrscht
ein Sicherheitsvakuum

Heute Morgen ist es in der Stadt absolut gespenstisch gewesen. Als ich in den Straßen umhergefahren bin, war überhaupt nichts los. Es waren kein Militär und keine Polizei zu sehen. Da ahnte ich schon, dass heute irgendetwas passiert. So ein Gefühl hatten wir schon gestern gehabt.

Berichterstattung wird gefährlicher

Es herrscht den ganzen Tag eine qualvolle Ungewissheit über die Situation in der Stadt. Bei den Plünderungen soll es auch Tote gegeben haben. Bisher werden zwei Kollegen vermisst, die heute in den Straßen unterwegs waren. Man muss draußen sehr aufpassen. Das große Sicherheitsvakuum finde ich sehr bedrückend. Noch gestern hatten Polizisten in Uniform mit Trillerpfeifen und Fahnen imaginäre Siege gefeiert. Angesichts der drohenden Anarchie wird die Berichterstattung immer schwieriger.

Bagdad ist noch lange nicht eingenommen

Zwei Straßen von unserem Hotel entfernt stehen derzeit rund 40 gepanzerte US-Fahrzeuge. Wir sind hier am Ostufer des

Tigris abgeschnitten, gewissermaßen nun auch »embedded«, eingebettet. Doch die Situation kann jede Minute kippen. Es können regimetreue Kämpfer auftauchen und einen Guerilla-Krieg beginnen. Dann wird es gefährlich. Bagdad ist noch lange nicht eingenommen.

Panzer richtete Kanone auf das Journalisten-Hotel

Gestern Abend haben wir noch eine Gedenkfeier für unsere ermordeten Kollegen aus dem Hotel »Palestine« gehalten. Am Morgen wurden die Särge vom Hotel aus abtransportiert. Gestern war ich zum Zeitpunkt des Angriffs auf dem Dach des Gebäudes. Ich sah, wie ein US-Panzer auf der Brücke sein Kanonenrohr auf das Hotel richtete. Ich rannte schnell nach unten. Kaum angekommen, hörte ich schon die Explosion. Ich verstehe das nicht. Die Amerikaner waren wohl sehr nervös und haben einen großen Fehler gemacht. Sie wussten, dass Journalisten in dem Hotel untergebracht sind. Auch die von den USA behaupteten Schüsse aus dem Hotel muss ich dementieren. Es war völlig ruhig. Von den Kollegen ist nach dem Angriff niemand abgereist. Ein Verlassen der Stadt ist zudem momentan fast unmöglich und sehr gefährlich.

Der tragische Vorfall vom 8. April

In den Nachtstunden des 4. April hatten die US-Truppen den Flughafen von Bagdad erobert, drei Tage später Teile des Stadtzentrums sowie das Regierungsviertel. Am 8. April standen die Panzer bereits auf der Brücke an der westlichen Seite des Tigris. Es war ein heißer Tag. Rings um unser Hotel wurde geschossen. Das Hotel Palestine war auf einmal in den Brennpunkt gerückt, war zu einem Fronthotel geworden. Ein paar Kollegen stiegen auf das Dach. Siebzehn Stockwerke ist das Palestine hoch. Dort oben war es möglich, sich einen guten Überblick von den innerstädtischen, genauer gesagt der zentrumsnahen, Frontsituation zu verschaffen.

Wir waren vielleicht sechs Kollegen: ein paar Franzosen, Italiener und ich. Aus dem Süden Bagdads drang schwerer Gefechtslärm zu uns. Im Westen wurde ebenfalls geschossen. Von unserem Standpunkt aus sahen wir deutlich zwei US-Panzer, die auf der Tigrisbrücke neben dem Regierungsviertel standen. Ab und zu schoss einer der beiden auf die Flussseite, auf der sich auch unser Hotel befand. Dort hatten sich, wie ich am Morgen auf einer Recherchefahrt selbst gesehen hatte, einige Milizen verschanzt. Größeres Abwehrfeuer konnte ich allerdings nicht hören, zumindest nicht mit schweren Waffen. Aber unser Hotel war auch ungefähr 1.500 Meter Luftlinie von der Brücke entfernt.

Wir standen auf dem Dach des Palestine und verfolgten eine Weile die Kämpfe. Eine richtige Frontlinie gab es eigentlich nicht. Manchmal flammten die Kämpfe sporadisch auf, Momente später war Totenstille. So war es auch an diesem 8. April.

Auf einmal war Ruhe. Offenbar eine Kampfpause. Diese Tatsache ist sehr wesentlich und wichtig für die Beurteilung der Ereignisse. Die Minuten vergingen. Plötzlich drehte ein Panzer seine Kanone und richtete sie auf unser Hotel – auf den oberen Teil des Gebäudes, also dorthin, wo wir uns befanden. Das kam mir sehr komisch vor. Mein Instinkt sagte mir: Hier ist eindeutig Gefahr im Verzug. Wir sollten hier wirklich weg, beschwor ich die anderen Kollegen. Der Panzer befand sich Luftlinie vielleicht 1.500 Meter vom Hotel entfernt.

Ob die anderen auch das Dach verlassen haben, ist mir nicht bekannt. Auf jeden Fall rannte ich in das Treppenhaus und lief die 17 Stockwerke hinunter. Unten angekommen, gab es einen gewaltigen Knall. Er kam von draußen. Von der Flussseite, auf der die amerikanischen Panzer standen. Alle Berichterstatter stürzten aus dem Hotel. Wir rannten um das Gebäude und entdeckten, dass es im 15. Stockwerk einen Einschlag gegeben hatte. Leichte Panik breitete sich aus. Viele Fragen kamen auf. Wird unser Hotel jetzt direkt beschossen? Wer hat geschossen? Warum? Unten im Hotelgarten hatte ich keine Zeit, mir über diese wichtigen Fragen große Gedanken zu machen. Ein Schaltgespräch mit der Tageschau stand kurz bevor.

Inzwischen war klar, oben im 15. Stockwerk, waren mehrere Kollegen bei einem Granateinschlag verletzt worden. Wenige Augenblicke später hieß es, daß es sogar Tote gab. Das wollte ich anfangs nicht glauben. Im Schaltgespräch mit der Tageschau berichtete ich sofort von der Tragödie. In der Zwischenzeit versuchten zahlreiche Kollegen, den Schwerverwundeten zu helfen. Sie wurden in Bettlaken gelegt und aus dem Hotel gebracht. Überall war Blut. Hektisch wurden die Verletzten in Autos gelegt und in die ohnehin überfüllten Krankenhäuser gefahren.

In der Lobby des Hotels waren ein paar Kollegen vor Bestürzung in Tränen ausgebrochen. Sie konnten offenbar nur schwer verkraften, was sie da oben im 15. Stockwerk gesehen hatten.

Ein Kollege wurde durch die Druckwelle der Granatexplosion rückwärts durch die Fensterscheibe seines Zimmers geschleudert. Glassplitter lagen verstreut auf dem Boden. Das Zimmer war verwüstet. Die Szenerie sah einfach grausam aus. Der Kollege, unser Kollege, mein Kollege, starb wenige Minuten später an den Folgen seiner schweren Verletzungen. Er war Ukrainer und Kameramann für die britische Nachrichtenagentur Reuters. Ein paar Tage vorher hatte er mir noch sehr kollegial geholfen, für die ARD-Tagesschau einen Beitrag zu produzieren. Plötzlich war er tot. Das muss man als Berichterstatter erst einmal verarbeiten.

Nach einem der zahlreichen Schaltgespräche an diesem Tag setzte ich mich erst einmal hin und weinte bitterlich. Ich fühlte mich hilflos. Wir alle waren einfach nur tief geschockt. Furchtlose Kriegsberichterstatter gibt es eben nicht.

Wie sich schnell herausstellte, starben am 8. April zwei Kollegen, mindestens drei wurden verletzt. (Erst einen Tag zuvor waren drei Journalisten ums Leben gekommen, darunter ein Kollege vom Focus.) Was war passiert? So wie ich auch hatten zahlreiche Berichterstatter von ihren Zimmern aus die Umgebung beobachtet. Einige hatten ihre Kameras aufgebaut und filmten. Das war übliche Praxis geworden. Alle Weisungen des Informationsministeriums, wonach Filmen aus den Zimmern strikt verboten war, spielten überhaupt keine Rolle mehr. Das Ministerium gab es nicht mehr und Informationsminister Sahhaf war offensichtlich abgetaucht.

Wie sich später herausstellte, hatte tatsächlich einer der beiden US-Panzer, die auf der Brücke standen, auf unser Hotel geschossen. Den vermeintlichen Grund erfuhren wir am Abend. Auf der täglichen Pressekonferenz des US-Zentralkommandos in Doha verkündete ein Sprecher, der Panzer habe auf das Hotel Palestine geschossen und damit den Angriff durch irakische Scharfschützen erwidert. Eine glatte Kriegslüge! Ich hatte bereits erwähnt, dass Kampfpause war. Es war völlig ruhig in der Umgebung des Hotels. Ich habe weder irakische Scharf-schützen gesehen noch einen Schuss gehört. Auch keiner meiner Kollegen hat einen Scharfschützen gesehen.

Offenbar hatte der Panzerkommandant die Fernsehkameras mit Scharfschützengewehren verwechselt, was ich für fatal halte, sollte es so gewesen sein. Denn durch die technisch hochwertige Zieloptik seines Panzer hätte der Mann sehen müssen, dass es sich um Kameraobjektive handelte. Später hieß es sogar, aus der Lobby sei auf den US-Panzer geschossen worden. Wieder eine glatte Kriegslüge! Die Lobby des Palestine befindet sich auf der anderen Seite des Hotels. Der Schütze hätte also um die Ecke feuern müssen. Die dritte Version war, der Panzer habe auf irakische Artilleriebeobachter geschossen. Auch eine Kriegslüge! Ich habe keinen einzigen Beobachter gesehen, noch haben meine Kollegen einen bemerkt.

Der tragische Vorfall hat jedoch noch eine andere Dimension. Erst im Nachhinein wurde bekannt, dass jener Panzerkommandant, der mit einem Schuss zwei unserer Kollegen ermordet und mehrere verwundet hatte, bereits darüber nachdachte, Luftunterstützung anzufordern. Das Hotel Palestine stand offenbar als Ziel für Bombardierungen zur Debatte. Wohl erst ein Telefonat zwischen Kollegen von BBC auf unserer Seite und Reportern des US-Sender FOX, die mit der US-Armee unterwegs waren, auf der anderen Seite des Tigris verhinderte weiteren Beschuss. Wie es hieß, soll der US-Armee mitgeteilt worden sein, dass sich im Hotel Palestine ausländische Journalisten befinden, worauf die Bombardierungspläne gestoppt wurden. Während des ganzen Krieges waren wir Berichterstatter eigentlich davon ausgegangen, dass den Invasionsstreitkräften bekannt ist, wer im Hotel Palestine wohnte. Diese Annahme war offenbar blauäugig.

Der 8. April 2003 hat sich tief in mein Gedächtnis eingegraben. In den frühen Abendstunden ging ich zu den spanischen Kollegen – der zweite Tote war ein spanischer Kameramann – und schlug ihnen vor, im Garten des Hotels mit ein paar Schweigeminuten der getöteten Kollegen zu gedenken. Ich war aufgelöst, stand in der Tür zu einem Zimmer, in dem sich die meisten spanisch sprechenden Kollegen versammelt hatten und stammelte auf spanisch etwas von Gedenkfeier. Sie sagten sofort zu. Innerhalb von 10 Minuten wusste jeder im Hotel Bescheid. Nach und nach kamen rund 50 Kollegen. Wir stellten uns schweigend im Garten in einem Kreis auf. Kerzen wurden verteilt und angezündet. So standen wir zwischen Kameras, Kabeln, Lichtstativen, Monitoren und aufgestellten Mikrophonen. Eben dort, wo unsere Kollegen jeden Tag gearbeitet hatten. Wir wollten ihnen ein letztes Mal nahe sein. Jedenfalls ging es mir so. Alle schwiegen. Leise flackerten die Kerzenlichter im warmen Abendwind. Wir umarmten uns gegenseitig, hatten Tränen in den Augen. Die Ruhe war heilsam. Für den Moment zumindest. Einige beteten. Christen zu Gott. Moslems zu Allah. Alle gemeinsam. In der nahe liegenden Moschee rief gerade der Muezzin zum Gebet. Ein Zufall. Doch irgendwie gehörte es dazu.

Bagdad, 10.04.03, 16.30 Uhr MESZ
(18.30 Uhr Ortszeit)
Plünderer laden Autos und Lkw voll

In Bagdad ist die Anarchie ausgebrochen. Auch heute wurde
wieder geplündert. Man kann sich das gar nicht vorstellen,
wenn man es nicht selbst sieht. Die Menschen laden Autos und
Lkw voll. Sie holen aus Verwaltungsgebäuden, Institutionen
und Geschäften, was sie irgendwie gebrauchen können. Manche bauen komplette Fenster und Türen aus und nehmen sie
mit.

Stimmungen wechseln schnell

Die Plünderungen und das Zerstören von Symbolen des
Regimes sind auch ein Ventil für die Bevölkerung. Doch
teilweise geht es in die falsche Richtung, denn auch die
deutsche Botschaft wurde ausgeraubt. Doch man muss diffe-
renzieren. Es sind vor allem die untersten sozialen Schichten.
Vor zwei Tagen haben sie noch Saddam im Fernsehen zuge-
jubelt, gestern stürzten sie zusammen mit US-Soldaten seine
Statue und morgen fordern sie vielleicht von den Amerikanern, das Land wieder zu verlassen. Wenn statt der amerikanischen irakische Panzer mit toller technischer Ausstattung
durch die Stadt gefahren wären, hätten sie diese wahrscheinlich auch begrüßt.

Marines sind unsere Zimmernachbarn

Im allgemeinen Chaos ist das Hotel Palestine die totale Sicherheitszone. Hier haben sich die amerikanischen Marines eingerichtet, die von Osten nach Bagdad eingerückt waren. Die Marines sind jetzt unsere Zimmernachbarn. Die Situation ist komisch. Noch vor zwei Tagen haben Angehörige dieser Invasionsarmee drei unserer Kollegen getötet, nun werden wir beschützt.

Die jungen Marines sind völlig ausgebrannt

Ich habe zu den Soldaten im Hotel eine sachliche Distanz. Meine Freunde sind sie nicht. Sie tun mir aber auch Leid. Die meist nur 20-jährigen Soldaten – fast Kinder noch – waren vermutlich noch nie von Zuhause weg. Nach zwei Wochen durch die Wüste sind sie nun völlig ausgebrannt und glauben, für ihr Vaterland gekämpft zu haben. Ich denke, sie sind sich noch nicht bewusst, was geschehen ist.

Wiederaufbau ist noch kein Thema

In der Bevölkerung ist der Wiederaufbau unter welcher Führung auch immer noch gar kein Thema. Die Menschen interessiert nur, wo sie etwas zu essen und trinken für den nächsten Tag bekommen können. Sie möchten auch wieder Geld verdienen und ihre Kinder in die Schule schicken können. Zur Zeit gibt es in Bagdad relativ wenig Essbares. Man muss sehen, wo ab und zu ein Restaurant geöffnet hat. Heute habe ich glücklicherweise mal wieder ein warmes Essen, Hühnchen mit Brot, bekommen. Für mich selbst will ich die Lage nicht dramatisieren. Das hält man schon ein paar Tage aus. Für die Bevölkerung ist es viel schlimmer. Vor allem in den Krankenhäusern gibt es gar nichts.

Hussein könnte problemlos untertauchen

Höchst interessant finde ich, dass die Amerikaner Saddam Hussein noch nicht gefunden haben. Da drängt sich der Vergleich zu Osama bin Laden auf. Hussein hat noch viele Anhänger. Er könnte sich einen Bart wachsen lassen, die Haare nicht mehr färben und irgendwo bei einer Familie untertauchen. Ich halte es für möglich, dass nach einer gewissen Zeit der amerikanischen Besetzung der irakische Patriotismus wieder aufflammt und auf einer Nostalgiewelle ein Kult um Hussein entsteht.

Saddams verlassene Paläste

Zwei Tage oder drei Tage nach der Einnahme des Stadtzentrums durch US-Truppen waren einige Kollegen und ich im Regierungsviertel und schauten uns um. Das Gelände auf der westlichen Seite des Tigris war zu Husseins Zeiten von der Außenwelt komplett abgeschottet. Kurioserweise ließen uns die Amerikaner auf das Gelände, das sie besetzt hatten. Ständig mussten wir unsere Ausweise zeigen. Die Militärs wirkten mitunter nervös. Wir befanden uns also auf dem Gelände, das am 7. April vom US-Militär nach schweren Kämpfen eingenommen worden war. Wir erinnern uns alle an die spektakulären Fernsehbilder: US-Panzer vor Saddam Husseins Palästen.

Nun konnten wir Journalisten uns selbst ein Bild machen. Der Palast war protzig. Auf dem Dach standen, an vier verschiedenen Stellen, riesige Skulpturen von Saddam Hussein, genauer gesagt Abbildungen seines Kopfes. Der Diktator trug einen orientalischen Feldherrnhelm und wirkte beinahe wie ein Monster. Die Räume im Palast waren groß und weitläufig. Allerdings stimmen einige Meldungen nicht, die in den ersten Tagen über die Innenausstattung verbreitet wurden. Die Rede war oft von goldenen Wasserhähnen, Möbeln und Türen. All das ist so nicht ganz richtig. Die Bäder habe ich mir genauer angeschaut. Die Wasserhähne waren nicht aus Gold. Es waren Wasserhähne, wie sie in jedem Baumarkt in Deutschland erhältlich sind. Gehobene Qualität, das auf jeden Fall, aber mehr auch nicht. Überhaupt waren die Bäder nichts Besonderes. Vielleicht ein bisschen großzügig angelegt, aber die Fliesen, Spiegel, Toiletten waren nicht mehr als europäischer Standard.

Auch die Möbel, die ich sah, waren nichts Besonderes. Die Beine der Sessel und Sofas waren zwar mit Goldfarbe verziert, aber Inventar wie dieses erhält man ohne Probleme sogar in jedem besseren irakischen Möbelgeschäft.

Interessanter aber als die Beobachtungen im Präsidentenpalast waren die Szenen auf den Straßen im Regierungsviertel. Denn dort war fast nichts zu sehen. Obwohl es doch nur wenige Tage zuvor, am 7. April, angeblich schwere Kämpfe um das Regierungsviertel gegeben hatte, in dem sich auch einer von Saddam Husseins Palästen befindet. Aber es war erstaunlich. Es gab nur wenige Spuren von Gefechten. An den Mauern waren zahlreiche Einschusslöcher von Maschinengewehren zu sehen. Die Löcher zogen sich parallel zur Straße immer in der gleichen Höhe die Mauer entlang, was vermuten lässt, dass die US-Panzer mit ihren Maschinengewehren bei der Eroberung des Gebiets links und rechts der Straße auf alles gefeuert haben, offenbar unabhängig davon, ob Gegenwehr vorhanden war oder nicht.

Auf der Fahrt durch das Gelände sahen wir vier oder fünf Leichen auf dem Boden liegen. Irakis. Ein oder zwei abgeschossene irakische Militärfahrzeuge standen auch am Straßenrand. Aber das war alles. Auch in der Umgebung des Regierungsviertels waren keine irakischen Militärfahrzeuge zu sehen. Wir fanden nirgendwo Hinweise darauf, dass sich größere irakische Einheiten schwere Gefechte mit den Invasionstruppen geliefert hatten. Die Eroberung des Machtzentrums in Bagdad durch die US-Truppen war offenbar spielend leicht gewesen, weil fast kein irakisches Militär zur Verteidigung da war.

Noch sehr genau erinnere ich mich an jenen 7. April, als ich von meinem Hotelfenster beobachten konnte, wie US-Panzer auf das Gelände von der Uferseite vorrücken. Mehrere irakische Soldaten, von der Feuerkraft der Amerikaner offenbar überrascht, rannten Hals über Kopf davon und sprangen in den Tigris.

Bagdad, 11.04.03, 19.47 Uhr MESZ
(21.47 Uhr Ortszeit)
Es ist wieder Krieg, ein anderer

Dieser Tag hat mich sehr geschockt. Ich war am Morgen auf-
gestanden in der Hoffnung, dass der Tag etwas ruhiger wird.
Aber die Plünderungen werden fortgesetzt. Ich war mehrmals
in der Stadt. Es ist grausam. Der Mob zieht durch die Straßen
und plündert. Es ist wieder Krieg, aber ein anderer Krieg.
Totale Anarchie.

Die Menschen räumen Geschäfte und öffentliche Gebäude
leer. Sie holen alles raus – Stühle, Teppiche, Sofas, Computer –,
alles, was nicht niet- und nagelfest ist. Die Leute laden Büro-
stühle voll mit Sachen und rollen sie weg. Viele Regierungsgebäude brennen. Aus meinem Fenster sehe ich riesige Rauchwolken und roten Feuerschein im Regierungsviertel. Die Stadt
oder das, was von ihr nach den Luftangriffen übrig geblieben
ist, wird zerstört.

Bewaffnete fahren durch die Stadt

Auch Lebensmittelmärkte werden geplündert. Das verschärft
die Lage, denn es gibt schon jetzt kaum noch etwas zu essen. Ich
nehme an, dass es in den nächsten Tagen keine Lebensmittel
mehr geben wird.

Die Lage für Journalisten ist beinahe gefährlicher als während der Luftangriffe. Durch die Stadt fahren Bewaffnete auf
kleinen Lkw. Sie nehmen alles mit, was sie bekommen können.

Kollegen von mir berichten von Toten in den Straßen. Ihnen wurden die Kehlen durchgeschnitten. Wenn ich unterwegs bin, versuche ich keine Aufmerksamkeit zu erregen. Mit Leuten kann man kaum noch sprechen.

Amerikaner schreiten nicht ein

Es ist unglaublich, was passiert, wenn es keine Ordnung mehr gibt. Von wegen, die Amis befreien das Land! Sie schreiten nicht ein. Sie machen nicht mal den Versuch, wenn sie Plünderungen beobachten. Es gibt keine Patrouillen. Ich habe heute zwei US-Panzer vor einem Regierungsgebäude gesehen, das gerade geplündert wurde. Nichts. Die Soldaten haben zugeschaut und sind dann wieder gefahren. Lediglich unser Hotel »Palestine« wird von den Amis gesichert. Nur dadurch sind wir Korrespondenten sicher. Allein die Amerikaner können das Chaos beenden. Sie müssen ankündigen, dass wieder irakische Polizisten auf der Straße für Ordnung sorgen. Aber diese Ankündigung fehlt.

Saddam, USA und UN-Embargo sind schuld

Aber auch die Leute, die plündern, muss man verstehen. Sie haben unter dem Regime von Hussein gelitten. Jetzt ist der Druck des Sicherheitsapparates weg. Die Irakis geben aber nicht nur Saddam die Schuld. Auch den Amerikanern und dem UN-Embargo. In den vergangenen Jahren haben sie schwer unter den Sanktionen gelitten. Viele Iraker, denen es vorher gut ging, sind verarmt, haben keine Arbeit. In den vergangenen zwölf Jahren ist so das Potenzial herangewachsen. Nun holen sich die Leute, was sie bekommen können.

133

Apathische Ärzte im
Zentralkrankenhaus

Ich war heute im Zentralkrankenhaus. Auch das ist bisher von Plünderungen verschont geblieben, weil US-Panzer vor der Tür stehen. Dort herrschen chaotische Zustände. Der Wartesaal ist zur Notaufnahme umfunktioniert worden. Überall liegen Verletzte, von den Luftangriffen, den Straßenkämpfen und nun von den Plünderungen. Es stinkt. Menschen wimmern. Die Ärzte sind fertig, hilflos. Manche sitzen apathisch da. Sie können nicht helfen. Die Schmerzmittel fehlen. Ich bin entsetzt, es ist grausam. Das alles tut mir so Leid.

Plünderungen – die Zivilgesellschaft hört auf zu existieren

Am 10. April, also einen Tag nach dem Einrücken der US-Panzer in das Zentrum der irakischen Hauptstadt, begann für Bagdad ein dunkles Kapitel seiner Geschichte. Wie vom Erdboden verschwunden waren alle Ordnungshüter. Seit dem Vortag war kein irakischer Uniformierter mehr zu sehen, weder Militär noch Polizei. Erst waren Staat und Verwaltung zusammengebrochen, kurze Zeit später auch die irakische Zivilgesellschaft.

Chaos und Anarchie, so wie ich sie persönlich erlebt habe zwischen dem 10. und 17. April 2003, sind nur schwer vorstellbar und noch schwieriger nacherzählbar. Zunächst waren kurz nach dem Einrücken der Invasionstruppen offenbar alle Gefängnisse geöffnet worden. Durch wen, ist mir nicht bekannt. Von der Öffnung der Haftanstalten hatte ich nur gehört. Dort hinzufahren war aus rein zeitlichen Gründen nicht möglich. In Bagdad spielten sich hunderte Szenen gleichzeitig ab. Es war unmöglich, an allen Schauplätzen gleichzeitig zu sein. Dazu kam, dass es gefährlich war, durch die Stadt zu fahren. Außerdem musste ich zu bestimmten Zeiten wieder im Hotel Palestine sein, das zum Glück durch die Amerikaner bewacht wurde, um für die Schaltgespräche mit der ARD zur Verfügung zu stehen.

Nach zwei Tagen Plünderungen zeichnete sich nach meinen Beobachtungen ein Bild ab: Die US-Truppen bewachten das Zentralkrankenhaus, das Hotel Palestine, ein Gebäude der Stadtverwaltung sowie das Ölministerium. Der Rest aller öf-

135

fentlichen Gebäude und Ministerien fiel Plünderern zum Opfer. Aber auch Banken und nicht bewachte Krankenhäuser wurden ausgeräumt. Meistens endeten die Plünderungen mit Bränden. Tagelang stiegen aus verschiedenen Stadtteilen Bagdads riesige Rauchsäulen in den Himmel. Die Feuer waren auch nachts noch zu sehen. Die Luft war verpestet. Es stank. Nach verbranntem Plastik und Müll. Manchmal lag auch Leichengeruch in der Luft.

Tagelang spielten sich immer die gleichen Szenen ab. Teilweise organisierte Banden zogen durch die Straßen und plünderten, was nicht niet- und nagelfest war. Vor einigen Ministerien standen sogar Lastwagen. Komplette Büroausstattungen wurden herausgeschleppt, auf Fahrzeuge verladen und dann in illegale Sammellager gebracht. Es wird allein deswegen schon ein großes Problem werden, im Irak wieder eine funktionierende Administration auf die Beine zu stellen. Nachdem so viele Verwaltungsgebäude und Ministerien zerstört sind, kein Schreibtisch und kein Bürostuhl mehr vorhanden sind, wird der Aufbau zunächst sehr viel Zeit und Geld kosten, bevor das Land verwaltungstechnisch wieder strukturiert werden kann.

Im Zusammenhang mit den Plünderungen soll und muss die Rolle der US-Armee in Bagdad während der ersten Tage nach dem Zusammenbruch des irakischen Regimes betrachtet werden. Die Amerikaner hatten offenbar kein Konzept, wie kurz nach dem Verschwinden der irakischen Machtstrukturen eine öffentliche Ordnung in Bagdad gewährleistet sein könnte. Es ist auch sicherlich nicht leicht, in einer 5-Millionen-Metropole für Sicherheit zu sorgen. Aber den Job hatten die Amerikaner sich automatisch selbst auferlegt, als sie nach Bagdad einrückten.

Enttäuschend, zugleich ernüchternd für viele Irakis war die Tatsache, dass die US-Truppen am Anfang den Plünderungen tatenlos zuschauten. Als Beobachter konnte ich das selbst sehen.

Zahlreiche Augenzeugen berichteten, sie hätten mitbekommen, wie US-Soldaten die Plünderer teilweise noch ermuntert hätten.

Tatsache ist, dass die Invasionssoldaten erst einige Tage nach Beginn der Anarchie in Bagdad anfingen, gegen die Plünderer vorzugehen. Allerdings war zu diesem Zeitpunkt schon zu viel geschehen. Vor den Augen der Weltöffentlichkeit war Bagdad im Chaos versunken. Einige Spekulationen machten die Runde in den Medien, wonach Anhänger des gestürzten Regimes die Plünderungen organisiert hätten. Solche Spekulationen sind nur schwer nachprüfbar. Gewissheit ist jedoch, dass durch die Plünderungen Millionenschäden entstanden sind.

Nicht unerwähnt bleiben darf in diesem Zusammenhang der Schaden, der am Nationalmuseum in Bagdad entstanden ist. Es wurde ebenfalls verwüstet und ausgeplündert. Über 170.000 zum Teil einmalige Artefakte sollen gestohlen worden sein. Der Wert dieser unwiederbringlichen Zeugen der Menschheitsgeschichte lässt sich in Zahlen überhaupt nicht ausdrücken. Noch sehr genau erinnere ich mich an den Tag, als Dr. Muayyad Al-Damarjhi in das ARD-Büro kam. Er war zum damaligen Zeitpunkt Generaldirektor der irakischen Museen, Ausgrabungen und Kulturerbe. Er fragte mich, ob er mein Telefon benutzen dürfe um in Heidelberg und Damaskus anzurufen, um den dortigen Kollegen über das Ausmaß der Plünderungen und Zerstörungen im Nationalmuseum berichten zu können. Selbstverständlich gewährte ich die Bitte. Der Generaldirektor sprach mit seinen Kollegen und brach, noch während er erste Mitteilungen machte, in Tränen aus.

Als die Telefonate beendet waren, weinte der Wissenschaftler bitterlich. Wissen Sie, sagte er, das Problem ist, dass nicht nur tausende Exponate gestohlen oder zerstört sind, eine Katastrophe ist auch, dass unsere jahrzehntelange Forschung vernichtet worden ist. Alle Büros, in denen sich Übersichten, Karteien,

Übersetzungen, Analysen, also die wissenschaftlichen Erkenntnisse über die alten Kulturen wie Sumerer, Assyrer und all die anderen befanden, all diese Büros seien während der Plünderungen ebenfalls verwüstet worden. Eine Katastrophe für den Irak, eine Katastrophe für die Menschheit.

Bagdad, 12.04.03, 12.45 Uhr MESZ
(14.45 Uhr Ortszeit)
Amerikaner sichern nur das
Ölministerium

In der vergangenen Nacht haben sich dicke Rauchwolken über Bagdad geballt. Zahlreiche große Gebäude brannten, darunter auch ein Einkaufszentrum. Bis auf das Ölministerium sind alle Ministerien geplündert und zerstört. Das Ölministerium ist völlig intakt und wird von US-Soldaten schwer bewacht. Darin lagern alle Unterlagen, Informationen und Forschungsergebnisse zur Erdölförderung des Irak. Spricht das nicht für sich? Ich denke, das zeigt, worum es den Amerikanern im Irak wirklich geht.

Bürgerwehren verteidigen einzelne Straßen

In der Stadt herrschen den vierten Tag anarchische Zustände. Eine richtige Ausgangssperre wie in Mossul gab es nicht. Ab und zu fahren amerikanische Panzer durch die Straßen. Doch das nützt gar nichts. In einigen Stadtteilen haben sich Bürgerwehren organisiert und bewaffnet. An den Straßenbarrikaden schießen sie auf jeden Fremden, der in ihre Straße will. Um marodierende Banden mit ihren Fahrzeugen abzuhalten, streuten sie Glasscherben.

Wir bleiben beim Filmen im Auto

Wir fahren noch umher und filmen. Aber wir bleiben jetzt im Auto. Das Risiko ist zu groß. Als wir heute Morgen auf einmal zwischen Plünderer geraten waren, bekam ich Panik. Zum Glück nahm uns so schnell keiner wahr, so dass wir davonkamen. Die Plünderungen durch die untersten sozialen Schichten sehen nicht sehr organisiert aus, aber man kann auch das Undenkbare nicht ausschließen: Vielleicht haben Mitglieder von Saddams Baath-Partei einige Unruhen inszeniert, um den Amerikanern dann die Schäden zur Last zu legen. Aus der deutschen Botschaft habe ich zwei Schallplatten gerettet. Ich werde sie zurückgeben, wenn die Lage wieder normal ist.

Bagdader demonstrieren vor dem Journalisten-Hotel

Vor unserem Hotel, in dem sich auch die US-Marines eingerichtet haben, versammelten sich heute aufgebrachte Einwohner von Bagdad. Sie forderten auf Transparenten eine neue irakische Regierung, Sicherheit und Frieden. Einige äußerten ihren Unmut über die Zerstörungen und machen die Amerikaner dafür verantwortlich. Ein ehemaliger irakischer Soldat beschuldigte Saddam der gemeinsamen Sache mit den Amerikanern und Briten. Saddam habe ihnen die Tür in den Irak aufgestoßen. Ein anderer sagte, er habe für den Irak, nicht für Saddam gekämpft. Ein weiterer Demonstrant beklagte, die arabische Welt hätte den Irak im Stich gelassen. Außerdem kommen zunehmend Leute, um vom Hotel ihre Familien außerhalb Bagdads und Iraks anzurufen. In der Stadt gibt es kein öffentliches Telefon mehr.

```
Bagdad, 13.04.03, 13.20 Uhr MESZ
(15.20 Uhr Ortszeit)
Bagdad kehrt teilweise zur
Normalität zurück
```

Als ich heute Morgen unterwegs war, hat sich das Bild in Bagdad überraschend geändert. In einigen Stadtteilen zeigen die Straßen wieder ein recht normales Gesicht. In Karrada unweit unseres Hotels haben sogar wieder Geschäfte geöffnet. Man kann Brot und Gemüse kaufen. In den Restaurants herrscht Hochbetrieb.

```
Bürgermilizen füllten
Sicherheitsvakuum aus
```

Die Plünderungen haben offenbar in vielen Teilen Bagdads aufgehört. Die selbst gebildeten Bürgermilizen haben hier eine sehr wichtige Aufgabe wahrgenommen. Sie verhafteten Plünderer und nahmen ihnen das Diebesgut und auch Fahrzeuge ab. Die Sachen wurden zum Beispiel in Karrada in einer Moschee deponiert. Medikamente gehen zurück in die Krankenhäuser. Andere Sachen werden zurückgebracht, wenn man weiß, woher sie stammen. Vereinzelt kam es noch zu Schusswechseln zwischen den Bürgermilizen und Plünderern.

Personal für Polizei und Verwaltung wird rekrutiert

In der Nähe unseres Hotels rekrutieren die Amerikaner in dem 1924 von Briten gegründeten Freizeitklub »Alwyah« zahlreiche Einheimische für Polizei und öffentliche Verwaltung. Dort können sich die Leute auch informieren, wo ab Morgen die Treffpunkte für die Freiwilligen in ganz Bagdad eingerichtet werden. Rund 3.000 Polizisten sollen demnächst insgesamt die öffentliche Ordnung wiederherstellen.

Amerikaner reagieren endlich auf Anarchie

Inzwischen patrouillieren die Amerikaner in einigen Stadtteilen auch zu Fuß. Einige haben Blumen angesteckt. Ich sah, wie einer der Soldaten auf Arabisch mit Einwohnern sprach und damit viel Vertrauen gewann. Es wurden auch Flugblätter mit Informationen für die Bevölkerung verteilt. Damit reagieren die Amerikaner auch auf die starke Kritik an den anarchischen Zuständen nach der Besetzung. Meines Erachtens leider vier Tage zu spät.

Es ist eine historische Zeit in Irak. Ich hoffe, noch ein paar Tage bleiben zu können. Nach dem Fall der Mauer und der Auflösung Jugoslawiens erlebe ich auch hier wieder einen beeindruckenden Umbruch. In welche Richtung wird er gehen?

Eine amerikanische Jugendarmee?

Der erste Krieg im 3. Jahrtausend wurde so geführt wie viele Kriege in der Menschheitsgeschichte vorher auch: Altgediente Generäle und Offiziere befehligten zehntausende Jugendliche. In diesem Fall amerikanische Jugendliche. Es gab viele Momente nach dem Einrücken der US-Armee in Bagdad, in denen ich mir unwillkürlich immer wieder die gleiche Frage gestellt habe: Wer sind diese Invasoren? Wer sind die Menschen in den Uniformen?

Am 9. April rückten die ersten Einheiten der 3. US-Marineinfanteriedivision ins östliche Zentrum Bagdads vor. An diesen Tag kann ich mich noch genau erinnern. In den Vormittagsstunden fuhren mein Dolmetscher und ich durch einige südliche und östliche Stadtteile Bagdads. Es war gespenstisch. Niemand war auf den Straßen – fast niemand, nur ein paar wenige zivile Fahrzeuge. Wo waren die irakische Armee und die Polizei? Gab es vielleicht einen Befehl von ganz oben aus den Reihen des Regimes an alle Einheiten und Verbände, einfach nach Hause zu gehen? Anders konnte ich mir die Szenerie nicht erklären. Noch einen Tag vorher waren die Straßen im östlichen Teil Bagdads, genauer gesagt auf der östlichen Seite des Tigris, voller Militär und Polizei.

Noch heute halten sich Gerüchte, dass am 4. oder 5. April, als die US-Armee den Internationalen Flughafen von Bagdad unter ihre Kontrolle gebrachte hatte, sich der irakische Vizepräsident Taha Yassin Ramadan in den Nachtstunden dort mit Vertretern der amerikanischen Militärführung getroffen und für Bagdad einen Waffenstillstand ausgehandelt haben soll.

Ganz ausdrücklich betone ich, dass es sich um ein Gerücht handelt. Die Ereignisse der letzten Kriegstage bis zum 9. April nähren allerdings solch ein Gerücht. Denn die blutigen, verlustreichen, lang andauernden Straßenkämpfe, die vorhergesagt worden waren, hat es in Bagdad nicht gegeben. Gekämpft wurde, aber das war nur von kurzer Dauer. Und was stand nicht alles zu befürchten: Von einer Belagerung schlimmer als in Stalingrad oder Sarajevo war die Rede oder von erbitterten Straßenkämpfen wie in Berlin 1945 – Szenarien, die auch bei uns Reportern Albträume hervorriefen.

Am 9. April also rückten Teile der 3. US-Marineinfanteriedivision bis vor unser Hotel Palestine. Die Amerikaner waren am Morgen vom Süden her zügig in das Zentrum vorgedrungen und stießen nach eigenen Angaben nur gelegentlich auf Widerstände einzelner irakischer Einheiten. Vor dem Hotel gingen die Panzer und gepanzerten Fahrzeuge in Stellung. Wir Bagdad-Journalisten waren mittendrin. Es gab keine Berührungsprobleme. Die Marines grüßten uns. Gelegentlich schüttelte man sich die Hände. Wir filmten und führten Interviews.

Für ein Schaltgespräch mit der Tagesschau interviewte ich sofort einen Marine-Sergeant. Es war das erste Live-Interview überhaupt im deutschen Fernsehen mit einem US-Soldaten nach dem Einrücken der Invasionsarmee. Mir fiel auf, dass der Sergant offen und freundlich war – und vor allem war er jung, Anfang 20.

Später nahm ich die Ankömmlinge näher unter die journalistische Lupe. Es stimmte: Die höheren Dienstgrade schienen älter zu sein, aber viele einfache Marines waren sehr jung. 20 Jahre, auch 18 oder 19. Das fand ich sehr erstaunlich. Ein Soldat war so schmächtig, dass selbst der Helm zu groß war und deshalb schief auf dem Kopf saß.

Diese jungen Marines waren ganz vorne mit dabei im Krieg, waren durch die Wüste nach Bagdad vorgerückt, auf dem Weg teilweise in schwere Kämpfe mit der irakischen

Armee verwickelt worden. Jetzt waren sie in Bagdad. Kaputt, ausgebrannt, mit tiefen Ringen unter den Augen, hatten seit Wochen keine Dusche mehr gehabt. Wie Sieger sahen sie nicht aus.

Kontakt nach Hause konnten die Amerikaner nur durch Briefe halten. Oft sah ich in den Tagen nach dem 9. April, wie Marines irgendwo im Hotel in der Ecke saßen und vertieft Briefe lasen, die sie gerade von Zuhause erhalten hatten. Liebesbriefe, Post von den Eltern und von Freunden. Die vielen Herzen auf den Seiten waren auch aus der Distanz unschwer zu erkennen.

Mein Eindruck bestätigte sich jeden Tag erneut: Viele US-Marines, die ich in Bagdad sah, waren nichts weiter als Jugendliche. Freundliche Jugendliche. Und sie hatten Angst. Besonders fiel mir das an den Kontrollpunkten auf, die rings um das Hotel Palestine errichtet waren. Wer sich in den Abendstunden dem Hotel näherte, hatte mitunter schlechte Karten. Die Marines waren sehr nervös. Wer sich nicht sofort zu erkennen gab oder unverzüglich die Anweisungen der Posten befolgte, der riskierte, erschossen zu werden. Ich habe diese Angst ein paar Mal erlebt. Wenn der jeweilige Posten merkte, dass man englisch sprach und eigentlich nur ein harmloser Journalist war, atmeten sie erleichtert auf. Das war nicht immer so, aber oft.

Einmal wollte ich nachts, es war schon Sperrstunde, zum Hotel Al Safeer, um dort Kollegen zu treffen. Es war eine sternenklare Nacht. Der Posten wollte mich erst nicht durchlassen. Dann aber, nach Rücksprache mit einem Vorgesetzen, bekam ich das Okay. Ein Marine begleitete mich ein Stück. Er war höflich. Habt ihr die ganze Straße hier unter Kontrolle, fragte ich. Ja, antwortete er, da hinter uns steht ein Panzer, der überwacht die Straße mit einer Wärmebildkamera. Wenn sich jemand nähert, sehen wir das schon von weitem. Weil in Bagdad während der ganzen Nacht wieder mal geschossen wurde und es bis zum Hotel Al Safeer nur rund 800 Meter waren, gerade die Straße entlang, fragte ich, ob der Panzer mir vielleicht Deckung geben könnte, so lange bis ich das Hotel erreicht hätte. Ja, sagte der Marine, die Wärmebildkamera des Panzers würde mir folgen, bis ich sicher im Hotel sei. Dann reichte der junge Mann mir höflich die Hand zum Abschied. Er war vielleicht 20, seine Hand schmal, der Händedruck weich. Er war fast noch ein Kind. Zehn Minuter später erreichte ich mein Ziel ohne Probleme.

Leider ist es in den ersten Tagen nach Einrücken des US-Militärs zu vielen tragischen Zwischenfällen in Bagdad und Umgebung gekommen. Die Invasoren errichteten zunächst zahlreiche Kontrollpunkte, einige auch nur vorübergehend. Die meisten Irakis dachten, jetzt ist das Regime gestürzt, die Amerikaner sind da und man kann sich wieder normal bewegen. Das war eine irrige Annahme. Zunächst konnten viele Irakis mit der Existenz der Kontrollpunkte nicht umgehen und näherten sich ihnen zu schnell oder blieben in ihren Autos. Den Amerikanern war offenbar nicht klar, dass die Irakis die Spielregeln nicht kennen konnten. Und so starben in Bagdad in den ersten Tagen zahlreiche irakische Zivilisten an amerikanischen Kontrollpunkten. Sie wurden von US-Militärs, die sich bedroht sahen, einfach erschossen.

Nein, als Befreier fühlten sich diese jungen amerikanischen Marines offenbar nicht. Wann immer ich mich mit den US-Jungs unterhielt, einige Aussagen wiederholten sich immer wieder: Jeder wollte schnell zurück nach Hause zur Freundin und ihnen sei gesagt worden, dass Amerika jetzt die Demokratie in den Irak bringt. Erstaunlich dabei: Fast niemand wusste etwas über den Irak. Die meisten der jungen US-Marines waren vorher noch nie ins Ausland gereist. Ein paar hatten Urlaub in Mexiko gemacht. Aber oft waren Kuwait und Irak die ersten Auslandsaufenthalte. Dazu kam, dass einige Marines, die ich traf, offenbar aus den untersten sozialen Schichten stammten.

Manchmal war es schwierig, sich mit ihnen zu verständigen, weil sie ein mitunter schlechtes Englisch sprachen oder sehr undeutlich artikulierten.

Man hatten ihnen gesagt, dass sie den Irak vom Terror-Regime Saddam Husseins befreien würden, was ja stimmte, dass sie dem Zweistromland Demokratie bringen und dass die Menschen hier sie mit Blumen empfangen würden. Und doch standen die US-Militärs an den Kontrollpunkten, schwerbewaffnet, teilweise voll Misstrauen und Angst, und vermuteten hinter jedem Iraki, der sich näherte, eine potenzielle Gefahr. Ein Widerspruch, an dem sich aber erstaunlicherweise kein US-Soldat zu stören schien. Sie machten im Irak nur einen Job, erklärten mir einige. Und wichtig war den meisten, dass zu Hause der Sold rechtzeitig auf dem Konto war, damit die Freundin oder Frau die nächste Miete bezahlen konnte. Ob im Irak nun wirklich bald Demokratie herrscht oder nicht, war den Soldaten, mit denen ich mich unterhielt, relativ gleichgültig.

Aber das Bild vom US-Soldaten wäre nicht vollständig ohne zu erwähnen, dass es offenbar auch einige Soldaten gab, die arabisch gelernt hatten und sich deshalb in Bagdad mit der Bevölkerung gut verständigen konnten. In der Nähe des Hotels Palestine traf ich während einer Recherchefahrt auf eine amerikanische Patrouille. Zu Fuß durchstreifte sie ein Wohngebiet. Drei Marineinfanteristen, einer der drei sprach gut arabisch. Schnell waren die Amerikaner von Irakis umringt, die viele Fragen hatten. Wann gibt es wieder Wasser und Strom? Wie lange dauert es noch bis zur Bildung einer Regierung? Ruhig und umsichtig versuchten die Männer, alle Fragen zu beantworten. Dass einer arabisch sprach, war natürlich ein großer Vorteil und sorgte für großes Vertrauen bei den anwesenden Irakis.

Mit der Presse hatten die US-Soldaten in den Tagen kurz nach dem Fall von Bagdad in der Regel einen recht unverkrampften

Umgang, aber es gab auch Ausnahmen. Gleich nach Ankunft der amerikanischen Panzer begannen die Irakis mit den ersten Demonstrationen gegen die Invasoren. Die Proteste wurden jeden Tag stärker. Während die einfachen Soldaten hilflos vor den Demonstranten standen und das Hotel abschirmten, wurden einige US-Offiziere teilweise nervös. Nicht so sehr wegen der Proteste. Wohl mehr wegen der internationalen Presse, die alle Demonstrationen ausführlich filmte und in die jeweiligen Heimatländer übertrug.

So kam es auch zu unschönen Szenen während der anti-amerikanischen Kundgebungen vor dem Hotel Palestine. Einmal stürmte ein US-Offizier auf zahlreiche Journalisten zu, die gerade die aufgebrachte Menge filmten. Ich war auch dabei. Der Offizier schrie, alle Kameras sollten sofort ausgeschaltet werden und alle Journalisten umgehend verschwinden; wer diesem Befehl nicht sofort Folge leiste, der würde umgehend verhaftet. Mit wild funkelnden Augen blickte uns der Mann an. Mit Demokratie und Pressefreiheit hatte diese Drohung wirklich nichts zu tun. Doch wir Berichterstatter fügten uns. Die US-Truppen hatten schließlich die Macht übernommen im Irak. Sie hatten das Sagen und bestimmten die Regeln.

Die lange Schlange oder: Mit den Marines auf dem Weg nach Bagdad

Ein Bericht des »embedded reporters« Philippe Deprez

Ein gewaltiger Konvoi von Fahrzeugen zieht sich auf sechs Spuren Autobahn gen Norden, durch die Wüste, jenseits der Flüsse. Die »große Schlange« (eine Namensgebung des irakischen Informationsministers) der Amerikaner verschlingt den Staub und den Feind bis nach Bagdad.

»Gemetzel«, »Mörder«, »Engel« sind die Namen der Militärfahrzeuge, wie sie von den Marines getauft wurden. »Die längste Kolonne der modernen Militärgeschichte«, meint ein Hauptmann, stolz auf die gewaltige Maschinerie. Hubschrauber schwirren, weiter oben sieht man Flugzeuge. Aufgebrachte, von Panik gepackte Kamelherden bewegen sich entlang der Straßen, verwirrte irakische Soldaten laufen barfuß in die entgegengesetzte Richtung, verängstige Zivilisten machen Zeichen mit ihren Händen … und dazu das Krachen der Geschütze. Die irakischen Panzer und Kanonen werden zerstört und erneut zerstört. Nichts kann den Vormarsch der Marines aufhalten. Mit 100 km/h bewegen sich Kampfpanzer und Aufklärungsfahrzeuge, gefolgt von Angriffspanzern und der Infanterie, und wirbeln im gesamten Umkreis einen Staub auf, der sich nur langsam legt, mit der Sonne und den Feldlagern.

Wer sind diese »Mad Max mit großem Herzen«, um den Ausdruck des Hauptmannes zu gebrauchen, der den Spitznamen »Shadow« trägt? Was bewegt sie, was geht in ihnen vor?

»Wenn nur zwei Marines am Leben blieben, würde einer die Tür der Präsidentenlimousine öffnen, der andere würde sich an die Presse wenden«, beteuert Hauptmann Joe Russell von der 3. Kompanie (aus einem Bataillon der 1. Marineinfanteriedivision) und wie um seinen Satz zu unterstreichen, spuckt er ein Stück Kautabak auf den Boden.

»Semper fidelis«, »Immer bereit«, die Devise zeigt klar, dass die Marines, wo sie auch dienen, dies im Interesse ihres Landes tun, wobei sie immer in der wahrhaftigen »Sorge« darum sind, einmal mehr ihren Ruf als »legendäre Krieger« aufpolieren zu können.

Im Irak haben die Marines der ersten Division »ihre Mission gut erfüllt«, ohne schwere Verluste zu erleiden, ohne wirklich – und daran muß erinnert werden – auf einen Widerstand gestoßen zu sein, der ihrem erklärten Wunsch zu kämpfen entsprochen hätte.

Die »Eindringlinge« sind sehr jung, verdienen wenig (1.500 Dollar pro Monat) und teilen oft einen »Durst nach Abenteuer«, durch den sie sich von Soldaten anderer Armeen zu unterscheiden glauben. Sie sind stolz darauf, die militärischen Musterungsrituale à la »boot camp« and »Full Metal Jacket« (wie im Film von Stanley Kubrick) bestanden zu haben. Die Eifrigsten – oder jene, die am stärksten der »Karikatur« der Marines ähneln – haben den wiederkehrenden Traum, dass es ihnen eines Tages gelingt, der »Force Recon« beitreten zu können, der Spezialeinheit, die sich als Äquivalent der britischen SAS versteht, die »crème de la crème« der Marines. Da nun die »Force Recon« das Bestreben der engagiertesten Marines zu kristallisieren scheint, sollten wir diese also einmal näher unter die Lupe nehmen:

»Swift-Silent-Deadly«, »Schnell-Geräuschlos-Tödlich«. Das ist das Motto der »Force Recon«, das, einen Totenkopf einrahmend, auf die Arme tätowiert ist. »Wir sind Augen und Ohren des Marine-Korps«, erklärt der 26 Jahre alte Unteroffizier Tim Novak. Die »Force Recon« verfügt über »beste Materialien«. Das geht vom Mercedes-Jeep bis zu leichten Waffen über sämtliche Aufspürgeräte und alle nur vorstellbaren Arten von Navigationssystemen – und ein »Höllenblick«, der »gewöhnliche« Marines vor Ehrfurcht erstarren lässt.

Inmitten der irakischen Wüste, unweit der Stadt Ad Diwanijah, trinken Tim und seine Mitfahrer, die Unteroffiziere Bill Jaskar und Adam Weber, einen Kaffee, bevor sie ein zehntes Mal ihre Waffen polieren. »Wir sind 'ne verdammt gute Truppe«, sagen sie. Wenn man nicht, wie in diesem Moment, nichts als die lächelnden Gesichter und schneidige Sonnenbrillen sehen würde, könnte man meinen, eine Gruppe von Kumpels auf Wanderschaft vor sich zu haben. Adam meint: »In zwei Jahren werde ich mehr über Bill wissen als über meine eigene Frau.« Die drei sind aus reinem Sport bei den Marines. Bill, der sein 50-kalibriges Maschinengewehr aufs Peinlichste genau putzt, verbrachte sein Leben bevor er sich für die Marines und dann die »Force Recon« hat rekrutieren lassen, zwischen den verschiedenen Stationen des amerikanischen Ski-Sports, »getrieben vom Adrenalin«. Er hat sich für fünf Jahre verpflichtet. Adam ist passionierter Wüstenwanderer. Tim, der Entspannteste der drei, spricht von seiner Frau aus Quebec, die er 8 von 36 Monaten sieht. Spartaner, die meinen, die Angst hinter sich lassen zu können im Bewusstsein, dass sie »immer auf ihre Waffenbrüder zählen können, die sie im Ernstfall nicht im Stich lassen werden«. Hier sind die Grundregeln einfach: »Schießen auf alles was bewaffnet ist.«

Adam erklärt mit Hilfe von sechs kleinen Steinen die verschiedenen Arten, einen Hinterhalt zu legen. Tim spricht von einem Buch, das er gerade erneut gelesen hat, über die »Sache des Tötens«. »Es ist nicht natürlich, einen Menschen zu töten«, sagt er, während etwa zehn Marines aufmerksam seiner Rede folgen. »Der beste Beweis ist der, dass ein Soldat es vorziehen würde, die Kehle seines Feindes aufzuschlitzen, denn ihm ein Bajonett in den Bauch zu jagen.« Die Marines verstehen diese »Nuance«, die sich uns entzieht. »Wir führen unseren Beruf des

151

Soldaten aus, nichts anderes. Es ist interessanter, Krieg zu führen, als sich darauf vorzubereiten.« Tim und die Seinen bezeichnen sich als »Patrioten, aber ohne Übertreibung«. Sie interessieren sich nicht für die Legitimität eines Überfalls auf den Irak – ein Phänomen, das auf alle Marines zuzutreffen scheint.

Ohne große Überzeugung unterstreichen sie, dass sie »kämpfen, um die freie Welt zu verteidigen«, und sie erklären, dass sie sich »verraten« fühlen von »Deutschland und Frankreich, Ländern mit einem kurzen Gedächtnis« – wobei sie auf den Sturz des Nazi-Regimes anspielen. Einige, aber die sind sehr selten, geben zu, sich »als Antwort« auf den 11. September bei den Marines haben einziehen lassen.

Tim, Adam und Bill haben die Absicht, »in ein bis zwei Jahren« ihre Laufbahn bei den Marines zu beenden. Die ersten beiden spielen mit dem Gedanken, auf »Leibwächter« umzusatteln, Bill würde gern Kameramann werden. Wenn er nicht an seiner MP hängt, nimmt er eine Digitalkamera in Beschlag, die er immer in Reichweite hat. »Ich habe schon einen Film für die Marines gemacht – Ausbildungsszenen. Was den Ton angeht, dafür habe ich die Musik vom jüngsten US-Kinofilm ›Blackhawk Down‹ genommen…«

Ed Ford, der bis in den Rücken hinein tätowiert ist, ist einer der Veteranen der »Force Recon«. Er war in Somalia. Eine seiner Missionen bestand darin, die somalischen »Kriegsherren« zu eliminieren.

Von der Jagd auf »die Piraten von Tripolis« (um 1805) zum Aufspüren von »Saddams Fedajin-Kämpfern« (die Hauptaufgabe der »Force Recon« im Irak), kultivieren die Marines beflissentlich ihr Image als Speerspitze des amerikanischen »Arsenals«. Sie haben den Ruf, sich an jedes Gelände anpassen zu können und »sehr unabhängig« zu sein. Das Korps der Marines ist »komplett«, von der Infanterie bis zur Verstärkung aus der Luft. Aber hinter der martialischen Kulisse ist den

152

»kids« – immer gut »geführt« von altgedienten Unteroffizie-
ren – die »Kunst der Kriegsführung« und das Erlangen von
Orden herzlich egal. Ihre einzige Sorge ist es, »am Leben zu
bleiben«.

»Wir sind Marines vom Vater bis zum Sohn«, sagt der
20-jährige Soldat Paul Parker. »Mein Vater hat im ersten Golfkrieg gedient. Deshalb bin ich heute hier.« Paul Parker
schwitzt schwere Schweißtropfen in seiner NBC-Uniform. Er
liegt mit seiner M16 auf einer Erdaufschüttung, die eine sich
im Bau befindende Autobahn abschirmt, wichtigster Zugang
der Marines in den Norden und nach Bagdad. Er gehört zu
denen, die sich nicht aufspielen. »Ja, ich habe Angst in dieser
Wüste, ich habe Angst, von einer Granate zerfetzt zu werden,
oder gefangen und gefoltert zu werden«, sagt er, während
Hunderte von kleinen schwarzen Käfern auf den Sandsäcken
des Postens wimmeln. Sein Nachbar fügt hinzu: »Ich habe
keine Ahnung, was wir hier verloren haben. Wir denken nur
an eines: so schnell wie möglich nach Hause« – dann dreht er
sich um.

Später, in den Vororten von Bagdad, sagen uns einige Soldaten vom 2. Bataillon des 5. Regiments »F... this place, let's go
home«.

Wenn es nicht der familiäre »Druck« ist, dann finanzielle
Not, die eine gehörige Zahl an »kids« dazu gedrungen hat,
zu den Marines zu gehen. »Ich bin hier, weil ich arbeitslos
war«, erklärt einer von ihnen. Und tatsächlich, wenn wir
während der 10 Tage, in denen wir ihrem Vormarsch folgten,
zu einigen ihrer Telefongespräche (über Satellit) stießen, stellten die jungen Marines immer die gleiche Frage an ihre Frau
oder Mutter: »Hast du das Geld bekommen? Wie kommst du
zurecht?«

Diese Marines sind echte »kids«. Einige Beispiele: Private
José: »Ich wohne in Florida, 30 Minuten entfernt vom Disney-
land. Wenn ich die Kinder am Rande der Straße sehe, weiß

ich, dass es keine Gefahr gibt.« Ein Soldat aus New York, der die Kerzen eines improvisierten Geburtstagskuchens ausbläst: »Ich bin 19 Jahre alt, rauche Camel im Irak, alles ist o.k.« Private Paul: »Ich bin gekommen, um den irakischen Haschisch zu probieren.« Private Jason: »Wow, die ganzen Palmen hier, das ist echt exotisch.« Und Private Mick, der sich beschwert, dass seine Kolonne von gepanzerten Gefährten überholt wurde: »Das ist ungerecht, wir schaffen es nie, den Krieg einzuholen.«

Am 25. März haben wir den Krieg »eingeholt«, auf halbem Wege zwischen Kuwait und Bagdad. Zuvor hatten wir, »solo«, in Gesellschaft von drei anderen Journalisten, mit unserem Fahrzeug die irakische Grenze überschritten, indem wir die Sperren der kuwaitischen und amerikanischen Militärpolizei unbemerkt umgingen. Einer der drei Kollegen, der freie Journalist Philip Smucker, hat also dem CNN über Funk erklärt: »Wir sind an der Front mit den Marines, 100 Kilometer südlich von Bagdad, auf einer noch im Bauzustand befindlichen Autobahn, in der Nähe der Stadt Diwanijah, die zwischen Euphrat und Tigris liegt.« In der halben Stunde, die diesem Bericht folgte, wurden wir von der Militärpolizei angehalten und 20 km zurück befördert. In Washington hatte sich ein »Drei-Sterne-General« aufgeregt, weil er glaubte, dass Smucker »indem er die Position der Marines angegeben hat, das Leben der Truppe in Gefahr gebracht hat«. Smucker wurde zurück nach Kuwait gebracht – die Sache der »medialen Strategie« der USA ist noch eine Geschichte für sich. Fünf Tage lang waren wir »immobilisiert«, mitten in der Wüste, bevor wir letztendlich als »eingebettet« an eine Marineinfanterieeinheit, die 3. Kompanie unter Oberst Rob Abbot, angeschlossen wurden.

Oberst Abbott, ehemaliger Pressebeamter der Marines in Somalia, gehört zu der »Klasse« von Offizieren, die einem Lewis Carroll und dessen »Alice in Wonderland« zitieren« (»Das wird immer merkwürdiger«), bevor er auf John Wayne'sche Art seine Pistole zieht und sich, nur von einem Soldaten und drei Journalisten flankiert, in eine kaum eingenommene irakische Kaserne vorstößt, an der Front von Bagdad.

Oberst Abbott hat einen langsamen Gang, die Arme stehen vom Körper ab. Er ist leutselig, er lächelt. Er zuckt nicht mit der Wimper, wenn es brenzlig wird und wenn die Marines die Schultern einziehen. Wenn er sich fortbewegt, dient ihm ein einziger Militärjeep als Eskorte. Zu seinen Befugnissen als Befehlshaber gehört auch jene des »Sheriffs der Straße« (er ist es, der die Militärpolizei an verschiedenen strategischen Kreuzungen platziert), was es ihm erlaubt, sich zu bewegen, wo er will. Dabei kommt es gelegentlich vor, dass er per Zufall die gerade im Angriff begriffenen amerikanischen Einheiten hinter sich lässt. Es ist dann sein treuer Unteroffizier Lara, indianischen Ursprungs, der, das Unheil vorausahnend, den »rettenden« Rat hat: Rückzug.

Oberst Abbott ist die Inkarnation des »idealen« Marine (wie er im Buche steht): Draufgänger aber »relaxed«, »konzentriert« aber Spaßvogel.

Besorgt um das »Bild«, das die Marines hinterlassen werden, ist Oberst Abbott sehr darum bemüht, sich mit Beamten der »Zivilen Angelegenheiten« zu umgeben, die er gemeinsam mit Oberstleutnant Vannordheim »coacht«. Vannordheim ist ein mit einer Feuerwaffe (und mit einem in der linken Mundecke steckenden Zahnstocher) bewaffneter Riese. »Ihr seid frei und sicher«, verkünden die »Zivilen Angelegenheiten« der Marines in jedem irakischen Dorf, dem sie sich nähern. Im Süden haben es sich Saddam Husseins Anhänger nicht nehmen lassen – nachdem der Moment der Überraschung verflogen war –, das Feuer auf ihre »Befreier« zu eröffnen (diese konnten sich mit etwas Glück unversehrt aus dieser Lage retten). In Numanijah aber, wie auch Azizijah und um Bagdad herum waren sie die Ersten (so auch wir), die überrascht wurden vom guten Empfang, den die irakische Bevölkerung ihnen bereitete. Die Beamten für »Zivile Angelegenheiten« haben es schnell verstanden, »Vertrauen zu erregen«, buchstäblich »geführt« von einem allgegenwärtigen Dolmetscher (Mr. Bakir, Kurde aus dem Irak, der seit 30 Jahren in Kalifornien lebt). Dennoch konnten die »Zivilen Angelegenheiten« der ratlosen Bevölkerung außer ein paar »trostspendenden« Worten meistens nicht viel bieten.

Mr. Bakir ist beispielhaft vorangegangen, wenn es darum ging, Bildnisse von Saddam Hussein zu verbrennen oder zu zerstören (was problemlos von den Marines und manchmal von Irakern nachgeahmt wurde). Am Ende des Weges, in Bagdad, waren es Oberstleutnant Vannordheim und seine Leute – untergebracht im Konferenzraum des Hotels Palestine –, die die irakischen Zivilisten und Polizisten auswählten, die daran interessiert waren, in der Stadt wieder Ordnung einkehren zu lassen. Oberst Abbott seinerseits hat, nachdem er den Ratschlägen des Internationalen Roten Kreuzes zugehört hatte, den verspäteten Schutz der größten Krankenhäuser (Medical City) in die Wege geleitet. Er erzählte uns, dass das medizinische Personal bei seiner Ankunft »von Panik ergriffen wurde, in der Überzeugung, dass die Marines gekommen wären, um die Verwundeten zu erschießen« ...

Aber im Gegensatz zu den Soldaten der 3. Infanteriedivision auf der Westseite des Tigris in Bagdad sind uns die Marines nie »trigger happy« (schnell mit dem Finger am Abzug) erschienen – wie man hätte vermuten können.

Natürlich sind während ihres Vormarsches viele irakische Zivilfahrzeuge, die sich in der jeweiligen »killing zone« befanden, von Kugeln durchsiebt worden. Sobald aber die Kämpfe beendet waren, war ihre Art, die militärische Präsenz zu verringern, um Spannungen und unnötige Vorfälle zu vermeiden, aus unserer Sicht bemerkenswert.

Natürlich haben sie es nicht geschafft, die Plünderung der

Stadt zu vermeiden. »Wir sind keine Polizisten und wir sind nicht genug in dieser Stadt, die so groß ist wie New York«, haben sie auf Anschuldigungen geantwortet. Oder, Oberst Abbott formuliert es einfacher: »Wir passen auf, dass wir uns nicht am letzten Tag umbringen lassen, genau dann, wenn wir bereit sind, zurück nach Hause zu gehen ...«

(deutsch von Juliane Dorn)

Die Anarchie in Bagdad wird nur langsam zurückgedrängt. Es gibt weiter Plünderungen, nachts gleicht Bagdad einer Gespensterstadt. Heute Nacht gab es direkt vor meinem Hotel eine etwa eine Stunde lange Schießerei. Heckenschützen haben offenbar Polizisten angegriffen. Das ist ein gutes Symbol dafür, wie es in der Stadt aussieht und wie schwierig es für die Amerikaner werden wird, alles zu halten, geschweige denn, eine funktionierende Administration aufzubauen.

Wo ist Saddam Hussein?

Die Irakis fragen angesichts der Zustände oft: »Wo ist Saddam Hussein? Wo ist unser Präsident?« Schaltet man dann die Kamera ein, sagen sie andere Sachen und fordern: »Die Amerikaner müssen dies oder jenes tun.« Die Iraker wollen sehen, was mit Saddam Hussein passiert ist. Sie wollen sehen, dass er tot ist. Die Frage nach dem Verbleib Saddam Husseins, das ist wohl die wichtigste Frage überhaupt, derzeit hier in Bagdad. Ich finde das mysteriös: Da haben die Amerikaner in drei Wochen das Land erobert, aber sie finden die alte Regierung nicht!

158

Wo sind die Massenvernichtungs-
waffen?

Neben dem Verbleib von Saddam Hussein wird noch eine andere Frage heiß diskutiert: »Suchen die Amerikaner jetzt nach Massenvernichtungswaffen?« Das war ja schließlich der Kriegsgrund. Zum einen die Entmachtung von Saddam Hussein, zum anderen aber auch der Vorwurf, er besitze Massenvernichtungswaffen. Die Amerikaner können jetzt überall hin, haben jeden Zugang. Aber suchen sie überhaupt nach solchen Waffen?

Schwierige Pressearbeit

Meine Arbeit ist auch nicht leicht. Obwohl die Amerikaner jetzt seit fünf Tagen in der Stadt sind, gibt es keine Statements, keine Pressekonferenzen. Die »Embeddeds«, die mit den Amerikanern ins Land gekommen sind, benehmen sich sonderbar. Sie sind ganz euphorisch, dass sie »den Krieg gewonnen haben«. Ich vermisse da jegliche Distanz. Sie laufen hier mit ihren Plaketten an der Brust herum, die sie von den Amerikanern bekommen haben. Wir, die im Land geblieben waren, haben dagegen noch unsere alten Presseausweise, die uns von den Irakern ausgestellt wurden.

Bagdad, 15.04.03, 6.30 Uhr MESZ
(8.30 Uhr Ortszeit)
Ich fahre nach Hause!

Die Entscheidung ist gefallen: Ende der Woche breche ich meine Zelte in Bagdad ab. Das wird nicht einfach. Jetzt muss ich mich um einen Weg kümmern, wie ich aus dem Land herauskomme. Schon Ostern will ich wieder daheim bei meiner Familie sein. Dann könnte ich Pläne vorantreiben, vielleicht im Sommer wieder herzukommen. Gestern war ich live in eine Diskussionsrunde in Deutschland geschaltet. Abenteuerlich, wie abstrakt dort diskutiert wird, ob Syrien jetzt das nächste Ziel der Amerikaner ist. Da spekulieren Leute, die nie hier gewesen sind!

Die Lage beruhigt sich zusehends

Die Lage in Bagdad wird nach und nach ruhiger. Heute Nacht gab es nur einige Schießereien. Das ist ja inzwischen schon Normalität. Es sind in der Regel die Bürgermilizen, die auf Plünderer schießen. Seit gestern bewachen Iraker und US-Soldaten gemeinsam unser Hotel. Offenbar mehr ein symbolischer Akt: Die Iraker sind unbewaffnet und dürfen mehr oder weniger nur daneben stehen. Kollegen berichteten aber, dass es in der Stadt auch gemeinsame Streifen gab. Außerdem laufen die Einstellungsverfahren für Mitarbeiter der künftigen Administration.

Menschen denken nicht an die Zukunft

Die Iraker sind noch voll und ganz mit der Organisation ihres täglichen Lebens beschäftigt. Viele bitten Journalisten, dass sie ihr Telefon benutzen können, um Verwandte im Ausland anzurufen. Um die Ordnung von morgen macht sich hier nach 24 Jahren »arabischem Sozialismus« keiner Gedanken. Ich denke, es wird sehr schwer, eine Nachkriegsordnung zu etablieren. Vielleicht passt in den Irak auch gar keine Demokratie. Demokratie gibt es nur in Europa, den USA und Australien. Sonst nirgends.

Die Sicherheitslage in Bagdad ist nach wie vor angespannt. Aus meinem Hotelfenster sehe ich etwa 100 Iraker, die gegen die Präsenz des US-Militärs protestieren. Um das Hotel Palestine ist ein Sicherheitskordon gezogen, die Zufahrtstraße versperren drei US-Panzer. Auch für die Journalisten, die das Palestine seit Wochen bewohnen, gibt es kein Rein und kein Raus mehr ohne Leibesvisitationen und Taschenkontrollen. Die Pressefreiheit ist deutlich eingeschränkt. Gestern vor dem Hotel drohte mir und einem Kollegen ein Soldat mit der Verhaftung, als wir über die täglich mehr werdenden Demonstranten in unmittelbarer Nähe berichteten.

Weniger Schutz für freie Presse

Es gibt auch deutliche Anzeichen für Zwei-Klassen-Journalismus. So dürfen etwa die »embedded reporters«, die bei den US-Militärs »eingebetteten« Presseleute über den sicheren Flughafen in Kuwait reisen. Für andere wie uns bleibt nur der Landweg zum Flughafen nach Amman in Jordanien. Zwei Kollegen, die es am Flughafen von Bagdad versuchten, nahmen US-Soldaten die Ausweise ab und schickten sie zum Hotel zurück. Doch die Konvois über Land sind gefährlich. Einer soll gestern überfallen worden sein. Außerdem war zu hören, dass zwei spanische Kollegen in ihrem Auto beschossen wurden. Sie sollen angeblich tot sein. Bewaffneten Schutz gibt es keinen, so dass wir ernsthaft nachdenken, selbst welchen zu organisieren. Ich weiß noch nicht, ob und wie ich von hier wegkomme.

Wo ist Sicherheit, wo ist Frieden?!

In Nassirijah südlich von Bagdad hat es gestern ein erstes Treffen irakischer Oppositioneller gegeben, die eine Übergangsverwaltung suchen, um Ruhe zu schaffen. Auch aus Nassirijah ist von größeren Demonstrationen gegen die US-Besatzung zu hören. Doch wir Journalisten bekommen von der Konferenz nur »Pool-Material«, keine unabhängigen Informationen.

Dabei wächst der Zweifel, dass es in der nächsten Zeit besser im Irak wird. Hilfsorganisationen sind in Bagdad zumindest praktisch nicht zu sehen. Ein Vertreter des Roten Kreuzes gibt lediglich Interviews und macht dabei eine Art Bestandsanalyse. Mehr ist im Moment nicht drin. »Wo ist Sicherheit, wo ist Frieden?«, fragen die Menschen auf den Straßen. Die öffentliche Ordnung ist völlig zusammengebrochen. Auch ich habe meine Zweifel, dass das hier ein gutes Ende nimmt.

Visionen im Chaos

Angesichts von Chaos und Anarchie in Bagdad nach dem Einmarsch der Invasionstruppen war es für den Beobachter schwierig, das ganze Desaster zu verarbeiten.

Schauen wir deshalb auf die Visionen. Man stelle sich einmal vor, im Mittleren und Nahen Osten würde Friede herrschen mit gewählten und nicht von außen eingesetzten Regierungen. Was würde passieren?

Ein Beispiel: Einige Tage vor Kriegsbeginn besuchte ich die jordanische Hauptstadt Amman. Ein örtlicher Touristenführer zeigte mir verschiedene Sehenswürdigkeiten, unter anderem ein wunderschönes römisches Amphitheater in der Altstadt von Amman. Es machte den alten Mann sichtbar stolz, die Geschichte des Theaters zu erzählen. Um zu zeigen, wie klug der Bau konstruiert war, musste ich mich auf die eine Seite des Theaters an einen Rundbogen stellen. Der Touristenführer ging auf die andere Seite, etwa 20 Meter enfernt, dort wo der Rundbogen endete, und flüsterte etwas. Der Flüsterton, genauer gesagt die Schallwellen, setzten sich bis zu mir fort. Ich konnte genau hören, was der alte Mann zu mir gesagt hatte und ich konnte das Funkeln in seinen Augen sehen, als er merkte, wie fasziniert ich war von seiner Vorführung. Danach fragte ich ihn, wovon er eigentlich lebe. Der Mann antwortete achselzuckend von Regierungshilfe, weil es wegen der Krisenlage im Nachbarland Irak keine Touristen mehr gebe in Jordanien.

Nach mehreren Gesprächen unter anderem mit dem Manager der jordanischen Tourismusbehörde war schnell klar: Jordanien litt und leidet, wenn im Irak Krisen ausbrechen. Jeden Tag kamen im Durchschnitt 200.000 europäische Touristen in das Haschemitenreich. Das spülte der jordanischen Tourismusindustrie jährlich rund 700 Millionen Dollar in die Kassen. Doch seit der Irakkrise kam niemand mehr. Eine Katastrophe für Jordanien. Durchreisende Journalisten oder Diplomaten waren mitunter die einzigen Gäste in den Hotels in Amman. In der historischen Stadt Petra mußten vier Hotels mangels touristischer Nachfrage schließen. Wegen der Irakkrise sind in Jordanien viele Arbeitsplätze verloren gegangen. Offenbar ebenso im Nachbarland Israel. Aber dazu liegen mir momentan keine Zahlen vor.

Jordanien als Beispiel verdeutlicht eine Tatsache: Herrscht in einem Land des Mittleren oder Nahen Ostens Unruhe, sind oft auch die anderen Länder der Region betroffen. Das ist keine neue Weisheit, mögen Sie jetzt zu Recht sagen. Aber ich möchte vor dem Hintergrund der Irakkrise trotzdem noch einmal den Blick für diese Erkenntnis schärfen, um den Weg für eine Vision frei zu machen und damit zurückkehren zur oben gestellten Frage, was passieren könnte, wenn im Mittleren und Nahen Osten Friede herrschen würde mit gewählten Regierungen. Die gesamte Region würde dann wahrscheinlich zu einem wirtschaftlichen und kulturellen Magneten werden. Die Länder Ägypten, Israel, Palästina, Syrien, Jordanien, Irak, Saudi-Arabien, Oman, Jemen, Katar, Bahrein, Iran bis hin zu Afghanistan würden mit ihren reichhaltigen kulturellen sowie ihren heiligen Stätten und ihrer traditionsreichen Geschichte für lange Zeit die Attraktion Nummer eins sein für Touristen aus der ganzen Welt. Statt des oft prophezeiten Kampfes der Kulturen würde es den Dialog der Kulturen geben. Reisen in den blühenden, friedlichen Orient. Eine interessante Vision.

Amman, 17.04.03, 19.00 Uhr MESZ
(20.00 Uhr Ortszeit)
Ankunft in Jordanien

Ich bin jetzt in Amman. Morgen fliege ich nach Hause. Heute früh sind wir in einem Journalistenkonvoi mit 16 Autos in Bagdad losgefahren. Alles lief sehr diszipliniert ab. Bis zur jordanischen Grenze haben wir die Autobahn genommen und sind immer beieinander geblieben. Die Wagen waren mit Presseschildern gekennzeichnet. Auf bewaffneten Schutz haben wir verzichtet.

Am Stadtrand von Bagdad haben wir zerstörte Panzer und Geschütze der irakischen Armee gesehen. Sie wurden offenbar von fliehenden irakischen Soldaten zurückgelassen und dann von den US-Truppen zerschossen. Soviel ich weiß, haben einige irakische Kommandeure ihren Soldaten angesichts der gegnerischen Übermacht befohlen, die schweren Waffen stehen zu lassen und sich davonzumachen. Teilweise sollen sie diese milde Kapitulation vorher mit den Alliierten ausgehandelt haben.

Kaum US-Militär zu sehen

Unterwegs gab es einen Kontrollpunkt. 150 Kilometer von Bagdad entfernt hielten uns US-Soldaten an. Sie hatten gerade auch einen Hilfstransport in Richtung der irakischen Hauptstadt gestoppt. Zweimal passierten wir beschädigte Brücken. Bei einer war die Gegenfahrbahn unbenutzbar. Bei der anderen – kurz vor der Grenze – kamen wir gerade so zwischen einem

166

Granattrichter im Asphalt und einem zerstörten syrischen Bus hindurch. Eine Rakete der Alliierten hatte das Fahrzeug am 24. März, dem fünften Kriegstag, getroffen. Fünf syrische Gastarbeiter, die auf dem Rückweg in ihre Heimat waren, starben. Am Grenzübergang kontrollierten amerikanische Soldaten unsere Pässe. Sie wurden von einer Art irakischer Grenzpolizei begleitet. Ich vermute, dass es dieselben wie früher sind.

Die irakischen Kollegen bleiben zurück

In Bagdad fiel der Abschied von meinem Fahrer und meinem Dolmetscher kurz aus. Wir haben uns die Hände geschüttelt. Große Worte konnten wir uns nach unseren gemeinsamen Erfahrungen sparen. Ich erinnere mich, wie der Dolmetscher während der Kämpfe um den Flughafen nach Hause raste und seine Familie in einen anderen Stadtteil evakuierte, zu seinem Bruder. Meine beiden Mitarbeiter sehen mit gemischten Gefühlen in die nahe Zukunft. Denn der Kampf um die Machtverteilung im Land hat begonnen. Wie viele Iraker mögen die zwei den von Amerikanern und Briten favorisierten Achmed Chalabi nicht. Hauptvorwurf: Er kennt das Land nicht. Chalabi war seit 40 Jahren nicht mehr in seiner Heimat.

Mich verblüfft die jüngste Nachricht, dass die USA das UN-Embargo gegen Irak aufheben wollen. Sie geben damit wenige Tage nach ihrem Einmarsch in Bagdad zu, dass das Land über keine Massenvernichtungswaffen verfügt.

Bilder, die nicht verblassen

Ich habe in diesem Krieg viele Schicksale gesehen. Vielleicht zu viele. Im Krankenhaus von Hilla, südlich von Bagdad, sah ich mehr als 300 Zivilisten, die von US-Streubomben verletzt worden waren. Am Eingang lag ein kleiner Junge, vielleicht zwei Jahre alt. Er war am Bein verletzt. Die Ärzte wollten ihm die Hose ausziehen, um uns Reportern die Wunden zu zeigen. Der Kleine schrie wie am Spieß – vor Schmerzen und aus Angst vor den vielen Leuten um ihn herum. Ich hätte fast angefangen zu heulen. Einige Kollegen wollten fotografieren. Ich habe sie beiseite gedrückt und gebeten, den Jungen zu verschonen.

Ein Bild werde ich nicht vergessen: Als nach dem Einmarsch der Amerikaner die Ordnung in Bagdad zusammenbrach, besuchte ich das Zentralkrankenhaus der Hauptstadt. Die Eingangshalle war zur Notambulanz umfunktioniert worden. Überall lagen Kranke und Verletzte, Opfer von Streubomben und Plünderungen. Auf dem Boden Blut. Es war laut. Teilweise musste ohne Betäubung operiert werden, weil die entsprechenden Medikamente fehlten. Mittendrin saß eine Mutter mit ihrem Sohn auf dem Schoß. Er hatte einen Splitter an den Kopf bekommen. Beide litten und beide sagten kein Wort während der ganzen Zeit, die wir dort drehten.

Tschüss!

Seit Sonnabend hat mich der reguläre ARD-Korrespondent in der Region, Jörg Armbruster, abgelöst. Ich will später noch einmal in den Irak zurückkommen. Es geht mir wie in Afghanistan. Das Land lässt einen nicht los, wenn man einmal da war. Aber mit dem Tagebuch ist jetzt Schluss.

168

Der Mythos vom furchtlosen
Kriegsberichterstatter

Als der 3. Golfkrieg am 20. März gegen 4.30 Uhr Ortszeit in Bagdad begann, waren rund 250 Journalisten in der irakischen Hauptstadt geblieben. Die Zahl schrumpfte im Verlauf der täglichen Luftangriffe. Viele Kollegen verließen Bagdad aus Angst vor einer Eskalation der Kampfhandlungen. Besonders die Aussicht einer möglichen mehrwöchigen Belagerung der irakischen Metropole durch das Invasionsheer, aber auch das Gerücht, Saddam Hussein würde chemische Waffen einsetzen, sorgten für Abschreckung bei den Berichterstattern. Mir ging es nicht anders. Jeden Tag reisten Kollegen ab, am Ende waren nur noch rund 70 Journalisten in Bagdad verblieben sowie technisches Personal.

Waren nur die abgebrühtesten, härtesten Berichterstatter dageblieben? Ich denke nicht. Bei den meisten Kollegen bekam ich den Eindruck, dass sie einfach nur Mut hatten. Mut zur vernünftigen Selbsteinschätzung und realistischen Kalkulation des Risikos. Noch sehr genau erinnere ich mich daran, wie wir deutschsprachigen Kollegen uns im Zimmer der Deutschen Presse-Agentur im Palestine-Hotel versammelten und verschiedene Szenarien durchsprachen. Was würden wir unternehmen, wenn der Krieg plötzlich umschlägt, wenn es zum Einsatz von Massenvernichtungswaffen kommt? Zeitweise machten wir uns Sorgen, dass die Amerikaner die MOAB (Mother of all Bombs – Mutter aller Bomben), eine gewaltige 10-Tonnen-Bombe, auf den Präsidentenpalast abwerfen würden. Unser Hotel hätte es durch die Druckwelle wahrscheinlich weggefegt, denn der

Palast befindet sich nur 1.500 Meter Luftlinie vom Hotel entfernt.

Um es auf den Punkt zu bringen: Wir hatten alle Angst. Jeder auf seine Art. Auch die Schutzausrüstungen und Gasmasken, die wir mit nach Bagdad gebracht hatten, konnten nicht beruhigen. Zwar waren wir inzwischen alle an die Gefahr der Bombardierungen gewöhnt, aber an die Angst konnte man sich nicht gewöhnen. Doch Bagdad während der Bombardierungen zu verlassen, war noch gefährlicher als zu bleiben. Zu dieser Einschätzung gelangten offenbar viele Berichterstatter, zumal sich die Front rasend schnell auf die irakische Metropole zubewegte.

Gibt es den typischen Kriegsreporter? Daran habe ich meine Zweifel. Was ist überhaupt ein Kriegs- bzw. Krisenreporter oder auch Frontberichterstatter? Jemand, der auf rauchenden Trümmern steht und berichtet, dass hier vor zwei Stunden eine Bombe eingeschlagen ist, dass unter dem Schutt möglicherweise zahlreiche Menschen begraben sind? Welchen Informationswert hat eine solche Art von Kriegsberichterstattung von harten Frauen, meistens jedoch Männern, die sich dort hinbegeben, wo es möglicherweise direkt lebensgefährlich ist?

Wir waren alle während der Bombardierungen in Bagdad. Aber die authentische Berichterstattung hat meiner Auffassung nach nichts damit zu tun, sich aktiv in Gefahr zu begeben.

Der permanente Druck der Kriegsereignisse zwang uns Berichterstatter ständig zur Anpassung an die jeweilige Lage. Dafür gibt es keine Leitlinien, die irgendwo in Büchern nachzuschlagen sind oder in Seminaren erlernt werden können. Bei Bombardierungen musste jeder für sich allein entscheiden. Die meisten Kollegen unterbrachen dann ihre Arbeit, gingen in Deckung und warteten, bis die Angriffswelle vorbei war. Das tat ich in der Regel auch. Mitunter war die Situation aber nicht einschätzbar. Beispielsweise war es manchmal den ganzen Vormittag ruhig. Automatisch gewinnt

man Vertrauen. Doch oft erwies sich die Ruhe leider als trüge-
risch.

Oft stand ich vor der Kamera, war mitten im Schaltgespräch,
und es krachte in der Nähe des Informationsministeriums.
Völlig unerwartet. Laut. Bedrohlich. Möglicherweise wieder
ein Marschflugkörper. In einem solchen Moment gibt es nicht
viele Entscheidungsmöglichkeiten und erst recht niemanden,
der mir die Entscheidung abnimmt. Man kann den Kopf kurz
einziehen, zur Seite schauen, weiter berichten und hoffen, dass
die Bombardierung schon wieder vorbei ist.

Was in solchen Momenten sehr an den Nerven zehrt, ist die
Ungewissheit. Man kann auch schnell wegrennen, weil nicht
klar ist, ob das nächste Geschoss vielleicht so dicht einschlägt,
dass man mit zahlreichen Splittern, einer Druckwelle und
damit dem sicheren Tod rechnen muss.

Im Verlaufe der Kriegstage hatte ich mir eine Art inneren
Sicherungsmechanismus zugelegt – es war eine reine Instinkthandlung: Je größer der Explosionslärm, desto größer war auch
die Wahrscheinlichkeit, dass ich vom Schaltgespräch wegrennen und mich flach auf den Boden werfen würde. Das ist zum
Glück nicht zu oft passiert. Das Resultat war, dass ich während
der Schaltgespräche mit den Augen instinktiv ständig die nähe-
re Umgebung nach möglichen Gefahren absuchte. Mir selbst
fiel das nach einer gewissen Zeit gar nicht mehr auf.

Die wenigen Male aber, als ich dann doch wegen Bombardierungen oder Gefechten vom Schaltgespräch flüchten musste,
sind natürlich aufgefallen. Noch sehr genau erinnere ich mich
an ein Gespräch mit dem ARD-Mittagsmagazin, als in der
Nähe des Zentrums offenbar eine Fliegerbombe explodierte
und ich während des Interviews einfach »abtauchte«. Eine pure
Instinkthandlung.

Ein anderes Mal passierte es beim ARD-Brennpunkt. Bagdad
war ruhig. 1. April. Über der Stadt klarer Nachthimmel, Ortszeit 22.15 Uhr. Bis zum Schaltgespräch nur wenige Augen-

blicke, ich stand bereits vor der Kamera. Plötzlich näherte sich von Osten ein hell erleuchtetes Flugobjekt. Vermutlich eine amerikanische Aufklärungsdrohne, die testen sollte, wie stark das Fliegerabwehrfeuer der irakischen Armee war. Die Drohne flog in großer Höhe. Mit heftigen Salven versuchten die Irakis plötzlich, die Maschine abzuschießen, allerdings erfolglos. In diesem Moment war ich aber auch schon auf Sendung.

Die Ereignisse überschlugen sich dramatisch. Der Gefechtslärm schwoll langsam an. Schnell versuchte ich noch, die Szene zu beschreiben. Überall feuerten Flugabwehrgeschütze. Als es schlagartig lauter wurde, brachte ich mich instinktiv in Sicherheit. Plötzlich war der Lärm vorbei. Die Drohne war über unser Hotel geflogen, weiterhin in großer Höhe, und nahm Kurs Richtung Westbagdad. In Ordnung, dachte ich, dann kann es ja weitergehen mit dem Schaltgespräch für den ARD-Brennpunkt.

Am Stadtrand hatte es schwere Gefechte gegeben. Der Einmarsch der Invasionstruppen stand offenbar kurz bevor. Erneut stand ich also vor der Kamera. Aus Köln kam die Frage an mich. Noch war es ruhig. Doch dann, mitten in meiner Antwort, brach der Gefechtslärm urplötzlich wieder los. Die Irakis hatten eine Boden-Luft-Rakete abgefeuert. Wie ein Komet zog das Geschoss seine Bahn am Hinmel und sollte offenbar die Drohne erreichen. Ganz deutlich konnte ich den Feuerschweif erkennen, denn die Rakete war aus dem Osten Bagdads, also von unserer Seite, gestartet worden. Gleichzeitig schossen auch die meisten umliegenden Flugabwehrgeschütze in den Nachthimmel. Es war höllisch laut. Dann folgte ein Knall, dessen Herkunft ich nicht einordnen konnte. Deutlich konnte ich den Druck in meinen Ohren spüren. Das war zu viel. Hastig stürzte ich weg von der Kamera auf den Boden. Wieder instinktiv.

Die Kollegen beim ARD-Brennpunkt in Köln zeigten sofort Verständnis für meine abrupte Reaktion. Die Sendung ging weiter, der Moderator informierte die Zuschauer, dass ich unversehrt und in Sicherheit war. Die ganze Szene hatte weniger als eine Minute gedauert. Der Informationswert meines Schaltgespräches war leider gering. Es war mir nicht möglich gewesen, über die Kriegsereignisse des Tages zu berichten und sie einzuordnen. Ich war tief frustriert. Irgendwie fühlte ich mich wie jemand, der an einem Rennen teilnehmen durfte, aber zweimal einen Fehlstart hingelegt hat. Die Zuschauer hatten zwar live mitbekommen, wie es in Bagdad während einer normalen Kriegsnacht zugeht, aber das sollte überhaupt nicht die Intention des Schaltgespräches sein.

Nur zehn Minuten später war der ganze Spuk vorbei. Die Drohne war abgezogen, der Nachthimmel ruhig. Überflug und Beschuss hatten innerhalb von nur 20 Minuten stattgefunden. Das war ein Merkmal des Golfkrieges. Manchmal wurde eine oder zwei Stunden intensiv bombardiert. Dann war es wieder mehrere Stunden ruhig.

An jenem Abend, während der ARD-Brennpunktschalte, hatte mich der Krieg voll erwischt. Ich hatte Angst. Damit kehren wir auch wieder zurück zum Mythos des furchtlosen Kriegsberichterstatters. Es ist vielleicht wirklich nur ein Mythos. Während all der Kriegstage in Bagdad habe ich persönlich zahlreiche Kollegen gesehen, die aus Angst Schaltgespräche oder andere Arbeiten unterbrochen hatten, um erst einmal in Deckung zu gehen. Daran ist meiner Meinung nach auch nichts verkehrt. Jeder Kriegsberichterstatter ist auch ein Mensch und hat das Recht auf Angst. Der Umgang mit Angst gehört zu unserer Arbeit. Angst ist für einen Berichterstatter eine wichtige, wenn nicht gar die wichtigste Emotion im Krieg. Sie blockiert automatisch persönliche Vorhaben, besonders dann, wenn Gefahr im Verzug ist. Nahe am Kriegsgeschehen dran zu sein, ist für den Reporter vor Ort möglicherweise interessant, doch der Informationswert ist gering.

Mit dem 3. Golfkrieg hat sich das Bild des Krisenberichterstatters vielleicht doch verändert. Hin zur Person vor Ort, die versucht, Kriegsatmosphäre zu vermitteln. Denn es ist unmöglich zu berichten, was an den verschiedenen Schauplätzen passiert. Das war nicht einmal in Bagdad möglich, einer Stadt von der Fläche so groß wie London. Wie sollte ich im Zentrum wissen, was in den Randbezirken passiert? Und das auch noch, wo es tagelang keinen Strom, also auch kein funktionierendes Telefonnetz gab. Wie sollte man recherchieren, wenn es nicht möglich war, innerstädtisch zu telefonieren?

Den jederzeit umfassend informierten furchtlosen Kriegsreporter gibt es nicht. Berichterstatter, die aus Krisen berichten, können höchstens einen kleinen Ausschnitt der Kriegswirklichkeit beschreiben. Und das sollte immer nach dem Grundsatz geschehen: Was habe ich mit eigenen Augen gesehen?

Der Irak-Krieg in Zahlen

Soldaten:
Irakische Armee: 350.000 Soldaten
Invasionsstreitkräfte: rund 250.000 Amerikaner, 45.000 Briten
und 2.000 Australier

Opfer:
Irak: mindestens 2.500 Soldaten getötet, über 1.200 Zivilisten
getötet, mehr als 5.000 verletzt (irakische Schätzungen), mehr
als 7.000 irakische Kriegsgefangene (US-Zentralkommando),
zu Vermissten liegen keinerlei Schätzungen vor
Medien: mindestens 10 Journalisten durch Kampfhandlungen
getötet
Invasionsstreitkräfte: 171 Soldaten getötet (138 US-Soldaten
und 33 Briten), rund 500 US-Soldaten verwundet

Kosten des Krieges:
Bis zum Abschluss der Kampfhandlungen 25 Milliarden US-
Dollar, die Folgekosten sind noch nicht bekannt
Geschätzte Aufbaukosten des Irak: 100.000 Milliarden US-
Dollar

Folgeschäden:
170.000 Kunstgegenstände aus Irakischem Nationalmuseum
von Plünderern gestohlen, Nationalbibliothek abgebrannt
Wasser- und Stromversorgung teilweise zerstört, unter anderem
Krankenhäuser und öffentliche Gebäude geplündert